—TODOS CONTRA TODOS

LEANDRO KARNAL

— TODOS CONTRA TODOS

LeYa

Preparação de originais
Maria Clara Antonio Jeronimo

Revisão
Bárbara Anaissi

Projeto gráfico
Leandro Dittz

Diagramação
Leandro Collares | Selênia Serviços

Capa
Angelo Allevato Bottino

CIP-Brasil. Catalogação na Publicação
Sindicato Nacional dos Editores de Livros, RJ

K28t

Karnal, Leandro, 1963-
Todos contra todos : o ódio nosso de cada dia / Leandro Karnal. – Rio de Janeiro : LeYa, 2017.

ISBN: 978-85-441-0532-0

1. Discriminação. 2. Preconceitos e antipatias – Aspectos sociais. I. Título.

17-41763 CDD: 303.385
CDU: 316.647.82

EDITORA CASA DA PALAVRA
Avenida Calógeras, 6 | sala 701
20030-070 – Rio de Janeiro – RJ
www.leya.com.br

Sumário

Prólogo

Faz muito tempo que penso sobre o ódio, especialmente o que existe no Brasil. No dia 1º de novembro de 2014, publiquei no *Estadão*, ainda antes de me tornar cronista regular naquele jornal, uma análise do país que emergia das eleições. Uso as ideias daquela reflexão como prólogo desta nova, a que agora intitulei *Todos contra todos.*

O Brasil não tem terremotos ou furacões. Carecemos de tsunamis. O fundamentalismo religioso, aqui, é mais lembrado pela estética da saia e cabelos compridos que por genocídios. Mesmo não sendo um paraíso, todo brasileiro sabe que não vivemos no inferno. A Terra de Santa Cruz é um cálido purgatório. No máximo.

Esse quadro tem sido pintado, com cores mais fortes ou mais fracas, desde nossa cena de fundação, em 1500. Sérgio Buarque de Holanda usou a celebrada expressão "homem cordial" para descrever nossas raízes, em 1936. Ainda que tenha defendido que o cordial deriva de impulsivo pelo coração, não o dócil, o texto do pai do Chico foi lido sob o prisma do pacifismo. Na mesma década, Gilberto Freyre tinha pintado um latifúndio no qual a escravidão emergia com uma toada malemolente. Os dois clássicos foram absorvidos por um público pátrio que amou encontrar, mesmo onde não havia, uma base narrativa para nossa representação pacifista.

Contraponto necessário a nossa ilusão: nossos vizinhos são agressivos. Guerras civis devastaram Argentina e Colômbia. A escravidão custou mais de seiscentos mil mortos para ser abolida nos EUA. Aqui? Uma penada de ouro de uma princesa gentil num belo domingo de maio de 1888.

A expressão guerra civil não aparecia nunca nos livros didáticos do Brasil. Cabanagem, Balaiada, Farroupilha? Eram revoltas regenciais, termo didático, não sangrento e asséptico. A violência? Uma mera exceção. Euclides da Cunha destacou que a repressão a Canudos era algo único: "Canudos não se rendeu. Exemplo único em toda a história, resistiu até o esgotamento completo." Lá nos sertões ainda sobrevivia uma possibilidade de violência sem concordata, mas era excepcional. Caso ímpar num país de "acordões" e de gabinetes de conciliação, atavismo do século XVII que insistia em não morrer.

Nosso racismo? Completamente aguado em comparação ao apartheid sul-africano ou estadunidense, dizia-se. Aqui jamais houve negros separados de brancos em ônibus. Antagonismos homicidas entre islâmicos e judeus no Oriente Médio? Abaixo do Equador os dois filhos de Abraão dividiam calçadas de lojas e se cumprimentavam varrendo a frente de seus estabelecimentos. O campo de prisioneiros de guerra alemães no Brasil, em Pouso Alegre (MG), em 1943/1944, era quase uma colônia de férias se comparado aos similares europeus. Que país bucólico e pacífico! Que terra bafejada pela harmonia!

Esse quadro sem desastres naturais de monta nem ódios ancestrais e genocidas foi passado a várias gerações. Em plena ditadura, na escola, cantávamos "as praias do Brasil ensolaradas" onde Deus plantara mais amor e onde "mulatas brotam cheias de calor". Nesse Éden tropical e erótico, nada se falava sobre repressão a dissidentes. E, combinação maravilhosa: o céu nos sorria e a terra jamais tremia.

Os momentos de polarização política, como 1935 (Intentona Comunista) ou 1964 (golpe militar), foram retratados na versão oficial e conservadora como infiltração de doutrinas estrangeiras de ódio. Era o marxismo pantanoso em meio a um povo cristão e pacífico. Foram os primeiros momentos nos quais a elite pátria pensou em "nós", ou seja, os pacifistas que queriam construir um país de progresso e prosperidade, contra "eles", os grevistas, sindicalistas, agitadores e outros que insistiam em inocular no corpo nacional o vírus do dissenso. "Nós" correspondia aos patriotas, aos que só desejavam a paz. "Eles" correspondia à cizânia e aos cronicamente insatisfeitos. Sempre fomos bons em pensamentos maniqueístas, em dualismos morais perfeitos. Ninguém é católico por séculos e emerge ileso desse destino...

A grande política foi criada nessa duplicidade: os getulistas e os lacerdistas, Arena e MDB, PT e PSDB. Briga de torcidas sim, porque cada lado sempre retirou sua agenda da outra facção. Mais do que briga, dança coreografada. "Nós" somos éticos, "eles" são corruptos. "Nós" trabalhamos por um Brasil grande e disciplinado, empreendedor. "Eles" querem só as benesses do governo numa vida ociosa e vampiresca. "Nós" sustentamos o Brasil. "Eles" apenas se aproveitam. Qual o grande problema nacional? "Eles" não entendem que "nós" estejamos corretos.

A microfísica do poder e da sociabilidade repete esse padrão. No trânsito, o que atrapalha? Se eu for motociclista, óbvio, carros, ônibus e pedestres não funcionam. Sou taxista: esses carros particulares estão a passeio e são descuidados. Ciclista estou? Falta cidadania aos outros. Infelizmente, todos erram e, desgraçadamente, apenas eu sei dirigir.

O primeiro problema da nossa intensa violência no trânsito (estamos entre os quatro países que mais matam pessoas) é que não participo, como sujeito histórico, da barbárie. A violência é do outro, nunca minha. Aliás, rodo como um Gandhi orientado pela Madre Teresa de Calcutá. Os outros? Gêngis Khan no banco de passageiros com Átila ao volante. O trânsito é uma metáfora trágica. Somos um país violento. Violentos ao dirigir, violentos nas ruas, violentos nos comentários e fofocas, violentos ao torcer por nosso time, violentos ao votar.

Na eleição presidencial de 2014, fomos invadidos, via internet, por textos duros, propagandas furibundas, imagens de escárnio e análises corrosivas. Todas tinham um ponto em comum: o outro era a fonte do deslize ético e do método ilícito de campanha. A campanha do outro partido era D-E-P-L-O-R-Á-V-E-L. "Nós" apenas nos defendíamos no interior do castelo puro da civilização, jogando contra-ataques em direção à horda nauseante.

Findo o pleito, uma ressaca nacional: o Brasil descobriu-se raivoso. Os brasileiros ficaram surpresos com a carga de ódio que fluiu pela rede. Estávamos ainda nas praias do Brasil ensolaradas? Na terra do leite e do mel sem terremotos? Este ainda seria o país do futuro? Dormimos num vale suíço e acordamos numa guerra em Serra Leoa. Sentimento que prosseguiu até o impeachment de Dilma Rousseff e avançou no seu sucessor Michel Temer, mais um vice-presidente que chegou à Presidência da República por deposição do chefe – no caso, uma chefe.

Esse ódio ainda perdura. Mas sempre esteve lá. Ódio, intolerância e preconceitos de toda espécie. De um ambulante morto a pancadas após defender um transexual a uma chacina na qual o autor deixou uma carta criticando o feminismo. Não é fácil o cotidiano de mulheres, homossexuais, bissexuais, transexuais, nordestinos, pobres, negros, judeus – parece hoje difícil separar o que é o politicamente incorreto ou simplesmente gesto preconceituoso da sociedade.

O ódio sempre existiu e flui por todos os lados. Não é fácil existir e acumular fracassos, dores, solidão, questões sexuais, desafetos e uma sensação de que a vida é injusta conosco. O mais fácil é a transposição para terceiros. Um homem fracassa no seu projeto amoroso. O que é mais fácil? Culpar o feminismo ou a si? A resposta é fácil. Tenho certeza absoluta de que o autor do crime não era um leitor de Simone de Beauvoir ou Betty Friedan. Era um leitor de jargões, de frases feitas, de pensamento plástico e curto que se adaptava a sua dor.

Esses slogans são eficazes: "Toda feminista precisa de um macho", "os gays estão dominando o mundo", "sem-terra é tudo vagabundo". Curtas, cheias de bílis, carregadas de dor, as frases entram no raso córtex cerebral do que tem medo e serve como muleta eficaz. No cérebro rarefeito a explicação surge como uma luz e dirige o ódio para fora. Se não houvesse feminismo, o assassino continuaria sendo o fracassado patético que sempre foi, mas agora ele sabe que seu fracasso nasceu das feministas e ele não tem culpa. Isto é o mais poderoso opiáceo já criado: o ódio.

Ódio não é dado a ter infância. Nasce adulto em lugares úmidos onde o ressentimento germina. O ódio é parte central da identidade de indivíduos e grupos. Os regionalismos raivosos (calabreses contra lombardos, bascos contra castelhanos etc.) sempre foram, antes de raivosos, regionalismos. Em outras palavras: eu preciso constituir uma região antes de odiar outra.

Mas ódios são circulares com a identidade: eu preciso odiar também antes para constituir uma região. Uma contradição interessante.

Aqui começa a delícia do ódio. Ao vociferar contra outros, o ódio também me insere numa zona calma. Se berro que uma pessoa x é vagabunda porque nasceu na terra y, por oposição estou me elogiando, pois não nasci naquela terra nem sou vagabundo. Se ironizo com piadas ácidas uma orientação sexual, destaco no discurso oculto que a minha é superior. Todo ódio é um autoelogio. Todo ódio me traz para uma zona muito tranquila de conforto. Não tenho certeza se sou muito bom, mas sei que o outro partido é muito ruim, logo, ao menos, sou melhor do que eles. É um jogo moral denunciado por dois grandes judeus: Jesus e Freud.

Mas o ódio apresenta outra função interessante. Ela aplaina as diferenças do meu grupo. O ódio, como vários ditadores bem notaram, serve como ponto de união e de controle. O ódio é gêmeo do medo, e pessoas com medo cedem fácil sua liberdade de pensamento e ação.

Há que se lembrar: a brisa do amor fraterno é mais etérea do que o furor da tempestade de ódio. Insultar no trânsito é mais intenso do que dizer eu te amo na cama, ao menos considerando-se a abundância da primeira frase e a escassez da segunda.

O ódio é uma interrupção do pensamento e uma irracionalidade paralisadora. Como pensar é árduo, odiar é fácil. Se a religião é o ópio do povo para Marx, o ódio é o ópio da mente. Ele intoxica e impede todo e qualquer outro incômodo.

Por fim, o ódio tem um traço do nosso narciso infantil. O mundo deve concordar conosco. Quando não concorda, está errado. Somos catequistas porque somos infantis. A democracia é boa sempre que consagra meu candidato e minha visão do mundo.

A democracia é ruim, deformada ou manipulada quando diz o contrário. Todo instituto de pesquisa é comprado quando revela algo diferente do meu desejo. Não se trata de pensar a realidade, mas adaptá-la ao meu eu. As crianças contemporâneas (especialmente as que têm mais de cinquenta anos como eu) batem o pé, fazem beicinho, mandam mensagem no WhatsApp e argumentam. Mas, como toda criança, não ouvimos ninguém. Ou melhor, ouvimos, desde que o outro concorde comigo; então ele é sábio e equilibrado. Selecionamos os fatos que desejamos não pelo nosso espírito crítico, mas por uma decisão prévia e apriorística que tomamos internamente.

Seria bom perceber que o ódio fala muito de mim e pouco do objeto que odeio. Mas o principal tema do ódio é meu medo da semelhança. Talvez por isso os ódios intestinos sejam mais virulentos do que os externos. Odeio não porque sinta a total diferença do objeto do meu desprezo, mas porque temo ser idêntico. Posso perdoar muita coisa, menos o espelho.

Mas o ódio é feio, um quasímodo moral. A ira continua sendo um pecado capital. Assim, ele deve vir disfarçado da defesa da ética, do amor ao Brasil, da análise econômica moderna. Esses são os apolos que banham de luz a fealdade. E, como queria o rebelde (que odiava o Estado), sempre teremos 999 professores de virtude para cada pessoa virtuosa. Em oposição, convém acrescentar: sempre teremos 999 pessoas odiando para cada pessoa que pensa.

* * *

Fruto de uma conversa gravada com meus editores da LeYa, este livro explora todos esses pontos que você leu até aqui. Nas próximas páginas, procuro dissecar e desconstruir o mito do pacifismo brasileiro e a ideia de que no Brasil não há ódio, preconceito e intolerância. Tentarei mostrar que, mesmo não estando no paraíso e mesmo não vivendo no inferno, nossa terra abriga terreno fértil para a violência, a agressividade, a demonstração raivosa e cega de intolerância, o ódio desmedido.

Vivemos as dores e a delícia do ódio e procuro incorporar essa convicção às reflexões e analisá-la – no fundo, é uma análise sobre cada um de nós individualmente e também como sociedade. Nesta conversa, reflito por que ele se mantém ao mesmo tempo em que temos horror ao ódio, afinal, apesar de resistirmos à ideia do ódio e da violência, cenas pacíficas dão menos audiência nas redes sociais e na mídia do que os episódios em contrário. Pergunto por que, para nós, o inferno são os outros. Questiono quais os pequenos ódios do cotidiano, expressos no dia a dia, nos relacionamentos sociais, nas redes sociais, na vizinhança.

Pergunto – e busco responder – também: o que há de preconceito, como ele se expressa no cotidiano contra mulheres, homossexuais, bissexuais e transexuais? Contra nordestinos, pobres, negros? O que é o politicamente incorreto ou simplesmente gesto preconceituoso da sociedade?

Seria uma aspiração ambiciosa demais imaginar que o leitor e a leitora, ao fim do livro – ou desta conversa –, consigam enxergar melhor o ódio ao seu redor e livrar mais seu coração dos pequenos e grandes ódios do seu cotidiano. Mas não custa tentar. No mínimo, chegará ao fim da leitura reconhecendo no ódio uma forma de comunicação e contato com o outro, que revela muito de nossa incapacidade de viver com a diversidade, conviver com o outro e achar um fundamento de identidade na violência e na explosão.

A violência é o eixo definidor de nossas ações. Thomas Hobbes, filósofo inglês, havia pensado que a guerra de todos contra todos era parte constitutiva das sociedades. Concebeu essa ideia em Paris, onde tutorava o futuro Carlos II, ambos fugindo da violenta guerra civil que assolava a Inglaterra. Um mundo hostil gerou seu raciocínio sobre nossa cólera. Para evitar a destruição total, argumentava, surgia o Estado, a entidade que conteria todos por monopolizar a violência. O *Leviatã*, título de sua obra mais conhecida, publicada apenas dois anos depois de seu retorno da França, era o maior monstro de todos os oceanos. A anomalia aquática era uma metáfora bíblica: no topo do poder das criaturas existiria esse ser, que, com seu tamanho e potência, estabeleceria a paz possível. A guerra de todos contra todos seria detida pelo Estado forte, o Leviatã.

Um rio de ódio flui, perene, sob águas superficialmente calmas. Um gesto ou uma frase fazem toda a máscara da paz desabar. Pulsão de morte freudiana? Caráter primitivo da nossa espécie? Mal oriundo da queda do primeiro homem? Tentação demoníaca? Força do rito catártico da tribo? Cada um dá uma causa distinta ao mesmo efeito.

Na conversa exposta nas páginas a seguir, apresento as causas e as consequências que conheço.

Boa leitura!

O PARAÍSO PACIFISTA

O quadro pintado é idílico. Somos uma terra sem terremotos e furacões. Sem guerras civis nem fundamentalismos extremados que levam a genocídios. Somos pacíficos. Não violentos. Não somos agressivos. Não odiamos. Não somos preconceituosos. Não somos racistas. Esse quadro não resiste ao teste da história. É uma de nossas ilusões, criada e sustentada ao longo de séculos.

Para começo de conversa, tivemos durante a nossa história dezenas de guerras civis, a diferença é que nunca usamos essa expressão para defini-las. Lembremo-nos de algumas delas. Abrilada, movimento de Pernambuco em 1824. Cabanagem, ou Guerra dos Cabanos, no Pará de 1835-1840. Sabinada, movimento na Bahia entre 1837 e 1838. Balaiada, revolta ocorrida entre 1838 e 1841 no Maranhão. Revoltas liberais de 1842, os movimentos sediciosos organizados pelo Partido Liberal em várias partes do Brasil. Revolução Farroupilha, no Rio Grande do Sul, em 1835. Esta, a maior de todas, durou uma década, rachou o país em três Estados (o Império, a República Rio-grandense e a República

Juliana) e vitimou mais de 3 mil pessoas. No século XX, aconteceu a Revolução Constitucionalista de São Paulo, em 1932.

Cada um deles prosseguiu à sua maneira, mas foram todos movimentos de uma província, de um estado, contra o centro, ou contra medidas centralizadoras. Em vários deles, como no Rio Grande do Sul, chegaram a ter proclamação da República e projeto de separação do estado em relação ao restante do país. Em outros casos, com mortos, guerra e até genocídio, como o que ocorreu no Maranhão durante a Balaiada, ou entre Santa Catarina e Paraná no início do século XX, durante o Contestado. Choques violentos, mortes, medo, perturbação.

Em qualquer outro país do mundo, chamaríamos isso de guerra civil. Aqui, não. Aqui evitamos usar tal expressão. Guerras civis existiram na Argentina, no México ou nos Estados Unidos. Guerra civil virou uma instituição na Colômbia, tão forte que os colombianos chegaram a usar "Guerra de los Mil Días", entre o fim do século XIX e início do século XX, para separar uma guerra civil de outra.

Enquanto nós, brasileiros, fugimos do uso da expressão, os norte-americanos fundaram sua nacionalidade por meio da guerra: primeiro uma guerra contra o Império Britânico, depois uma guerra entre o norte e o sul do país, depois contra o México e contra indígenas, contra alemães, contra comunistas e contra fundamentalistas religiosos. Mas nós rejeitamos a ideia, o conceito e o nome. Rejeitamos e suavizamos o conflito, afirmando: "os gaúchos queriam mesmo era a defesa de sua dignidade"; "o que os paulistas desejavam era uma Constituição"; "os cabanos lutavam por igualdade social". Ninguém lutou por ódio.

Ou seja, no Brasil jamais houve ódio. Nem sequer na guerra.

Quando Sérgio Buarque de Holanda instituiu a expressão "homem cordial" em 1936, no livro *Raízes do Brasil*, várias pessoas o criticaram. Foi o caso do poeta e ensaísta Cassiano Ricardo, que produziu a interpretação clássica que viria a seguir: a cordialidade seria sinônimo de bondade e, portanto, o autor de *Raízes do Brasil* estaria enfatizando um dado positivo de nossa formação. Essa interpretação conduzia a algo completamente diferente do que Sérgio Buarque quis dizer. Para ele, a cordialidade tinha o papel de ressaltar a rígida separação, na sociedade brasileira, entre o público e o privado. E sua consequência era negativa.

Sérgio Buarque encontrou a expressão no escritor e amigo Ribeiro Couto e a apresentou como "um dos efeitos decisivos da supremacia incontestável, absorvente do ninho familiar", pois "as relações que se criam na vida doméstica sempre forneceram o modelo obrigatório de qualquer composição social entre nós". Armado dessa máscara, afirmou ele, o indivíduo consegue manter sua supremacia ante o social. A cordialidade se estendia das relações familiares até o público, cuja lógica deveria ser a da impessoalidade, do interesse público.

Quando Sérgio Buarque diz "cordial", significa que funcionamos de acordo com o coração – *cordis*, no latim. E como afirmou numa carta a Cassiano Ricardo, se acreditou, mal ou bem, que o coração é a sede dos sentimentos, e não apenas dos bons sentimentos. O brasileiro agiria de maneira passional, e não pacificamente. Sorrir para estranhos, ajudar estranhos, matar estranhos...

Esse é o modo passional que Sérgio Buarque definiu como o homem cordial, um homem avesso a regras racionais, a sistemas unificadores, a sistemas impessoais. No fundo – no que concordo plenamente – o que ele está dizendo é que, quando matamos, somos cordiais. Quando torturamos, somos cordiais. Para Sérgio Buarque, a característica do brasileiro é colocar a passionalidade subjetiva e a motivação individual na frente da motivação política.

Não somos agressivos. Não odiamos. Não somos preconceituosos. Não somos racistas. Esse quadro não resiste ao teste da história.

É essa cordialidade descrita por Sérgio Buarque – a boa ou o horror – que tentamos transformar numa coisa positiva. Por isso acredito que, para entender o Brasil, nós precisaríamos mais de Freud do que de Marx. Mais subjetivo e psicanalítico do que generalizado.

Ao contrário do que se interpretou e se interpreta normalmente, exibimos um histórico de violência – das guerras civis que mencionei, com morte em praça pública, à decapitação de Zumbi dos Palmares, ou ao massacre ocorrido em Canudos. Zumbi teve uma morte particularmente odiosa, que se mostra reveladora de nossa natureza violenta e cruel. Como aprendemos em sala de aula e nos livros de história, Zumbi foi o último e grande líder do Quilombo dos Palmares, respeitado herói da resistência antiescravagista.

Palmares foi o nome dado pelos portugueses, em razão do grande número de palmeiras encontradas na região da Serra da Barriga, ao sul da capitania de Pernambuco, hoje estado de Alagoas. Era um abrigo não só de negros, mas também de brancos pobres, índios e mestiços. A um bandeirante paulista chamado Domingos Jorge Velho foi dada a tarefa de destruir Palmares. Aniquilar o quilombo era uma questão de honra para o domínio português e da elite açucareira e traficantes de escravos.

Zumbi foi localizado em novembro de 1695, com o corpo perfurado por balas e punhaladas, e levado a Porto Calvo. Teve a cabeça decepada e remetida ao Recife, onde foi coberta por sal fino e espetada em um poste até ser consumida pelo tempo. O fato de Zumbi ter sido castrado e ter seu pênis costurado dentro da boca nos leva à reflexão de como o ódio floresceu e se aprofundou contra quem instituiu uma rebelião contra o sistema.

Mas há outros exemplos. A revolta federalista do Rio Grande do Sul durante os anos iniciais da República foi acompanhada de tanta decapitação que seu codinome na história é "revolta da degola". Em *O tempo e o vento*, o escritor Érico Veríssimo narra episódios referentes às guerras deflagradas no solo gaúcho e fala da cidade tomada pelas tropas inimigas. Segundo o livro, quando capturam um parente do chefe das tropas locais, decidem fazer uma punição: introduzir um funil no seu ânus e derramar um azeite fervente. Veríssimo retirou essa técnica de uma documentação histórica que usou para escrever o livro. Técnicas que revelam uma sociedade particularmente violenta. Curiosamente, nossa história real não parece combinar com nossa representação ideal.

O livro *Brasil nunca mais*, cuja introdução foi assinada pelo falecido cardeal d. Paulo Evaristo Arns, descreve as torturas no período militar instaurado em 1964. No livro se faz uma pergunta pertinente: por que gente do Cone Sul, de outras ditaduras instauradas na região, vinha ao Brasil aprender mais sobre técnicas de tortura? Por que naquela época chegou a haver aula de tortura no Rio de Janeiro? A resposta que se pode dar tem a ver com a nossa tradição escravista. Uma tradição mantida no modo de agir da polícia, no nosso modelo policial, no qual a polícia científica anda lado a lado com a polícia do "pau de arara".

Essa tradição faz com que a nossa violência seja tolerada, desde que aplicada a grupos sociais específicos. É manchete de jornal a violência que atinge grupos de elite, mas nunca aquela que atinge grupos sociais específicos, como negros, pobres, homossexuais e transexuais. Nossa violência é estrutural. Não é diferente da violência humana, mas é aumentada pela injustiça social, pelas relações raciais e pela própria violência política. Às vezes podemos perguntar por que é tão intensa. E às vezes seria lícito supor o motivo pelo qual ela não é mais intensa, dado o grau da violência social.

É manchete de jornal a violência que atinge grupos de elite, mas nunca aquela que atinge grupos sociais específicos, como negros, pobres, homossexuais e transexuais.

Falei da tradição escravista. *Raízes do Brasil* pode ser visto como substituto de um livro de três anos antes – *Casa-Grande & Senzala*, de Gilberto Freyre, que atribui os males do país à mistura étnica. Ou substitui, antecipadamente, *Formação do Brasil contemporâneo*, um livro de 1942, de Caio Prado Júnior, que atribuía às elites as mazelas do país.

Era uma época em que o Brasil tentava fazer o que a Europa havia feito no século XIX: dar uma explicação nacional à sua identidade e às suas raízes. Sílvio Romero, Manoel Bonfim e Joaquim Nabuco já haviam tentado. O Brasil sempre tentou explicar-se nacionalmente por meio de generalizações, como também são as generalizações para falar do francês, do alemão ou do norte-americano.

Casa-Grande & Senzala e *Raízes do Brasil* dialogam sobre uma realidade pernambucana, em Gilberto Freyre, e nordestina (e também do Sudeste, especialmente São Paulo), em Sérgio Buarque. Caio Prado introduziria a questão da dominação econômica, sendo sucedido por toda uma tradição anti-Gilberto Freyre, que insistirá na violência da escravidão.

Freyre olha a escravidão com a sua genialidade – ele foi um dos grandes autores do Brasil – sua habilidade que mistura sociologia com jornalismo. Mais tarde será tachado, injustamente, de pró-escravista, mas na verdade ele oferece a interpretação de uma escravidão sob o ponto de vista do diálogo, dos pontos de coexistência, que também são verdadeiros. Em outras palavras, ele se refere aos pontos em que a Casa-Grande e a Senzala estabeleceram uma negociação.

O pensamento de esquerda criticará Gilberto Freyre nos anos seguintes, em particular a partir de Caio Prado, mas tendo como maior símbolo o historiador Jacob Gorender. Ao escrever sobre o escravismo brasileiro, ele enfatizou somente o atrito e o enfrentamento. Foi outro ponto de vista. Mas sempre numa situação de enfrentamento nós vemos consenso e coerção, cooptação e diálogo.

Para dar um exemplo fora do Brasil: a guerra contra os índios araucanos, os índios da Patagônia chilena e argentina, foi a mais prolongada da história da América. Começou no século XVI e foi parcialmente encerrada no século XIX, com Argentina e Chile já independentes. Os araucanos foram o grupo indígena que mais resistiu à dominação espanhola, depois crioula, da América. Vários araucanos depois melhoraram de vida, porque o contato com os brancos possibilitou-lhes acesso a cavalos, o que antes não existia na América. Além disso, a captura por sequestro de mulheres brancas incrementou a demografia do grupo indígena. Esses seriam os pontos em que eles dialogam e obtêm benefícios de uma dominação. O ponto negativo são as aldeias queimadas, os líderes assassinados, a ocupação das terras.

Toda violência inclui um processo de diálogo, que é mais ou menos o que acontece numa situação de guerra como na França, na qual uma parte dos franceses colabora e se beneficia dos nazistas. A França de Vichy foi justamente o governo francês sob influência nazista, com a aceitação e o benefício de parte da sociedade francesa. Somente uma parte – bem pequena – dos franceses vai para a resistência e outra parte simplesmente ignora. O nazismo, um dos modelos de violência ocidental no século XX, funciona do mesmo modo que a escravidão: uma parte se aproveita bastante de um sistema, uma maioria é conivente com ele e uma minoria constitui o grupo de resistência.

Mas a resistência na culinária, a resistência na música, a resistência que não estabelece vencedores e vencidos e sim um mundo que tem outra dinâmica, essa resistência é menos valorizada do que a armada, porque nosso modelo preferencial é o herói armado, o herói que enfrenta. Zumbi se encaixa perfeitamente nisso, assim como Ganga Zumba. A culinária inclui produtos da África, inclui palavras e inclui a própria religião como resistência – elementos que certamente nos seduzem muito menos.

E falando em modelos, nossa interpretação tradicional costuma sugerir explicações focadas na herança portuguesa. Essa explicação dá ênfase de tal modo a essa infância colonial portuguesa como origem dos nossos equívocos que somos obrigados aqui, até a segunda vinda de Jesus, a sermos ibéricos católicos, não importa que o catolicismo já nem seja a religião dominante em lugares como o Rio de Janeiro – aliás, o primeiro estado brasileiro a ter mais protestantes do que católicos. Não importa que haja áreas onde não existe sequer o predomínio da imigração ibérica. Não importa nada disso, você será sempre um português.

Essa herança aparece muitas vezes, por exemplo, na obra clássica de Raymundo Faoro, *Os donos do poder*, na qual o Estado brasileiro será patrimonial até o fim dos tempos porque foi fundado pelo rei Afonso Henriques, ou pelo Estado português. Segundo ele, o patrimonialismo é uma forma de dominação política na qual não existe a esfera pública e a esfera privada.

Faoro recorre ao conceito do sociólogo Max Weber sobre Estado patrimonial – quando um príncipe organiza seu poder político exatamente como exerce seu poder patriarcal – para explicar o atraso do Brasil. Um atraso explicado pela dominação do estamento burocrático, iniciado com a consolidação da monarquia portuguesa pela dinastia de Avis (1385-1580), que comandou a expansão comercial de Portugal (África, Índia, Brasil). Segundo Faoro, o Estado português controlava ou explorava diretamente o comércio, que por sua vez alimentava o caixa da Coroa.

O nazismo funciona do mesmo modo que a escravidão: uma parte se aproveita de um sistema, uma maioria é conivente e uma minoria constitui o grupo de resistência.

Isso é curioso, porque significaria observar a história com o peso do determinismo. A Austrália foi fundada em Botany Bay por imigrantes forçados, prisioneiros, estupradores, falsários e ladrões. Assim começou a história do país. Botany Bay, pela experiência sistemática de colonização, era literalmente uma colônia penal. E hoje a Austrália é um país de Primeiro Mundo, desenvolvido, com altíssimo Índice de Desenvolvimento Humano, e os australianos são pessoas que vivem e trabalham em torno do orgulho de sua origem.

Enquanto isso, nós construímos uma outra fantasia. O Brasil foi essa fantasia chamada "colônia de exploração". Uma terra condenada a receber a escória de Portugal, um país obrigado a acolher degredados enviados para cá pelo Estado português. Essa explicação é absurda. Afinal, veio absolutamente de tudo para o Brasil: da escória à elite intelectual, professores das melhores universidades portuguesas, um padre Nóbrega. A América, e não só o Brasil, é de fato uma Arca de Noé. Para cá veio absolutamente de tudo.

Os norte-americanos fazem sua memória fundacional no *MayFlower*, o famoso navio saído da Inglaterra com cerca de cem passageiros, todos de alto nível social e intelectual, peregrinos que se tornariam os pais da pátria. Eles ignoram que a fundação, quase 13 anos antes, baseou-se numa companhia crucial, a Companhia da Virgínia, que entre outras coisas levava moças de vida ruim na Inglaterra para serem leiloadas. Ignoram que menos da metade dos passageiros era puritana. Ignoram que o *MayFlower* fora bancado por uma companhia de comércio (a Cia. dos Comerciantes Aventureiros, de Londres) e que tinha, como principal missão, o comércio de peles ou quaisquer outras riquezas que se pudessem extrair da terra.

Ou seja, os norte-americanos ignoram os assassinos, as prostitutas e os falsários que fazem parte da sua história, e nós ignoramos os professores e intelectuais que fazem parte da nossa. Por que essa diferença? Acredito que tenha a ver com o que Nelson Rodrigues batizou de "síndrome de vira-lata". Mas há algo maior do que isso. Algo que nos faz diminuir o nosso passado e ignorar explicações que o dignificam. Nós pioramos a nossa colonização, enquanto os norte-americanos melhoram muito a colonização deles.

Toda memória histórica tende a ser seletiva e construir-se a partir de valores épicos posteriores. Isso não distingue o Brasil de outros países. Os heróis nacionais melhoram com o tempo e a violência militar fica mais dotada de valores elevados. O que nos distingue é uma vontade quase sistemática de apagar a violência do nosso passado. O curioso é que no momento de aceitar aquilo que se revela um fato histórico – a nossa violência – decidimos disfarçar. Uma duplicidade de pensamento.

Somos todos racistas?

Nosso racismo é mais benigno do que outros, como o dos Estados Unidos ou o sul-africano? No Brasil não há ônibus específicos para negros, nem a separação explícita que norte-americanos e sul-africanos enfrentaram. Mas...

Na verdade, qualquer brasileiro soube, até a Lei Afonso Arinos, em julho de 1951, e mais tarde com a criminalização do racismo pela Constituição de 1988, essa separação sempre foi tão suficientemente clara e direta que não era necessário um ônibus ou um bebedouro em local público para negros. Sempre mantivemos uma característica portuguesa, que é distinta da anglo-saxônica. Esta costuma afastar o diferente, enquanto a característica portuguesa é trazer para dentro do sistema colonial, não afastá-lo. O português nunca fez reserva indígena, por exemplo. Trouxe para a missão, para a cidade, para o apresamento, para a lavoura.

O português adotou essa estratégia e nisso nós absorvemos a tradição. Não gostamos de guetos físicos. Porém, instituímos nossos guetos sociais e econômicos de uma maneira declarada.

Pegue-se o exemplo do que ocorreu recentemente no Espírito Santo, com o caos completo que se viu com a ausência da polícia nas ruas.

O crime generalizado cometido por criminosos e por cidadãos saqueadores é o que a periferia do Brasil vive cotidianamente. No entanto, quando essa realidade atinge áreas nobres reagimos e afirmamos que se trata de anarquia e caos. É um colapso. Na verdade, uma parte da população brasileira vive a ausência da polícia (ao menos de sua função protetora), o toque de recolher e os saques todos os dias. Mas nós, da elite, não vemos isso. São nossos guetos se revelando.

É possível, portanto, pensar numa forma diferente em relação às diferenças frente ao apartheid na África do Sul, por exemplo. Não é necessário no Brasil ter uma legislação de apartheid porque aqui o apartheid já funciona naturalmente. Nenhuma lei impediu a eleição de um presidente negro, não obstante um negro jamais tenha sido eleito. O Brasil funciona mais ou menos como a Inquisição, ou como o *1984* de George Orwell: se você consegue convencer a vítima de que ela está errada, atingiu seu objetivo. Seu objetivo é convencer a vítima. Essa estratégia está incorporada ao inquisidor, ao censor, à elite.

É recente no Brasil a presença de um ministro negro no Supremo Tribunal Federal. São Paulo teve dois prefeitos negros na sua história. Nós tivemos um presidente, Nilo Peçanha, que não era exatamente negro, nem exatamente branco. E pode-se lembrar ainda que foi presidente porque o titular faleceu. Machado de Assis, nosso mais genial prosador, não gostava de ser chamado de mulato. No enterro do escritor, ao fazer um elogio fúnebre a ele, afirmando que Machado era negro na aparência e grego na alma, o orador foi criticado pelos amigos, porque era uma coisa que Machado não gostaria que citasse. Nem sequer no enterro.

O crime cometido por criminosos e cidadãos saqueadores é o que a periferia vive cotidianamente. Quando atinge áreas nobres afirmamos que se trata de anarquia e caos.

Machado morreu em 1908, mas esse tipo de pensamento não se circunscreve nem a ele nem à sua época. Ao longo de nossa história encontramos um diálogo difícil, tenso, com essas tradições, que vêm à tona num momento como a Constituição de 1988, que criminalizou como inafiançável o racismo e instituiu essa referência nas cláusulas iniciais.

Numa época do politicamente correto, traz à tona o encontro de uma elite branca e os negros, uma elite obrigada a pensar nas palavras preto, negro, afro-brasileiro, e retira aquele conforto que a sociedade sempre teve e que a leva a desfilar no carnaval cantando "O teu cabelo não nega, mulata, porque és mulata na cor/ Mas como a cor não pega, mulata/ Mulata, eu quero teu amor". Da marchinha racista para a homofóbica: "Olha a cabeleira do Zezé, será que ele é? Será que ele é?" A intenção original da marchinha, parece, não era ser homofóbica, mas uma brincadeira entre amigos. No uso, na gramática do cotidiano, ela virou emblema de ofensa. A música perguntava "será que ele é?". Os foliões gritavam introduzindo palavra nova: bicha! Esse sempre foi o nosso carnaval. A nossa "carnavalização", inclusive do preconceito, talvez atrapalhe a possibilidade de refletir sobre o tema em si.

O capitalismo ocidental incorpora as pessoas mais pela questão econômica do que pela identidade. Portanto, acredito que o racismo nos Estados Unidos tende a diminuir em função do negro consumidor, não do negro cidadão. No Brasil, o fato de que há uma coincidência entre exclusão social e exclusão de identidade étnico-racial faz com que essa questão se misture e se intensifique. O que leva muitos críticos da política de cotas a questionar a ideia de que no Brasil não há propriamente um racismo ou uma diferença de interpretação de cor, e sim uma interpretação de renda, um abismo social. Em outras palavras, tem-se a ideia de que há uma desigualdade social, e não de gênero, ou de cor.

Essa é sempre uma explicação predominantemente feita por um determinado grupo branco. É sempre uma explicação de quem não sentiu preconceito contra si. E, como tal, diz que não há preconceito. É como a moral masculina sobre as mulheres. Dizem: "Não há uma cultura do estupro, porque nunca fui estuprado." O aborto não seria um problema se a moral fosse feita por mulheres.

Racismo não existe na percepção das pessoas que não são alvo desse racismo. Como eu disse numa palestra: "Eu, Leandro, fruto de uma classe média interiorana, nasci salvo." Eu me esforcei muito: trabalhei e trabalho como poucas pessoas. Acordo às 4 horas da manhã, sempre estudei como um condenado. Não há um traço do defeito da preguiça na minha biografia, mas nasci salvo. Se eu fosse preguiçoso, talvez não tivesse a posição que tenho hoje, mas eu estaria salvo do mesmo jeito.

O fato de debatermos intensamente quando uma menina negra de escola pública tira o primeiro lugar em medicina – e igualmente decorrem conceitos como meritocracia, esforço, liberalismo, cotas – é porque o conceito ainda incomoda. O fato de debatermos Bolsa Família, que representa muito pouco da economia brasileira, e debatermos muito menos "Bolsa BNDES", não debatermos política de juros diferenciados e não debatermos todos os outros benefícios torna tudo muito claro sobre como a sociedade brasileira lida com esses problemas.

O fato de aceitarmos distinções na fila para idosos, gestantes, portadores de especificidades de locomoção; o fato de aceitarmos distinções, inclusive baseadas em dinheiro – quem paga mais tem fila *fast track* nos Estados Unidos, e cada vez mais aqui; o fato de aceitarmos áreas VIP e áreas não VIP em todos os lugares; o fato de aceitarmos que temos de ceder nosso lugar para uma pessoa de idade sentar num ônibus; o fato de aceitarmos todas essas condições mostra que o único setor que desejamos isonomia são as cotas. Para todos os outros aceitamos a desigualdade.

Ou seja, não significa dizer o que é certo e o que é errado, afinal é uma questão complexa, e sim de imaginar por que discutimos igualmente apenas num único campo. É uma questão que, conforme eu já disse, mostra o motivo pelo qual nunca tenhamos tido necessidade no Brasil de uma política de apartheid. Os negros sempre estiveram separados na alma das pessoas brancas. Com isso, não era necessário dizer algo mais explícito. Para completar, a combinação entre exclusão social e exclusão por identidade étnica é uma mistura complexa.

Todos os problemas estão colocados, mas temos de estabelecer um debate que inclua, também, a reflexão sobre a palavra "mulato". Uma palavra de etimologia pavorosa (mulato vem de "mula", o animal produto do cruzamento do cavalo com a jumenta, ou do jumento com a égua), mas também pelo fato de que "mulato" oculta um negro – ou seja, *se sou mulato, não sou negro*. Seria alguém com defeito menor. E daí o Brasil ter se tornado, desde o século XVIII, "o purgatório dos brancos, o inferno dos negros e o paraíso dos mulatos", segundo a frase do padre André João Antonil, no famoso livro *Cultura e opulência do Brasil*. Isso gera uma percepção, já no início daquele século, por um jesuíta italiano, de como as questões de identidade racial eram curiosas no Brasil.

Para complicar, quase sempre os nossos capitães de mato eram mulatos. E muito racistas. É como o novo rico, que trata muito mal seus funcionários, e o aristocrata, geralmente, trata bem. O aristocrata está tão distante daquele mundo que pode sentar e tomar uma cerveja, como fez o príncipe de Gales ao vir para o recém-inaugurado Copacabana Palace, no Rio de Janeiro, segundo velha lenda urbana. Queriam servir-lhe champanhe, e ele quis cerveja. E não havia cerveja no Copacabana Palace. Afinal, cerveja era coisa de gente simples. Aliás, não havia Copacabana. Estavam criando a praia. E o príncipe de Gales, em visita ao Brasil, causou alvoroço na equipe preparada para servir champanhes e vinhos sofisticados. Ele pode sentar e beber cerveja, porque nunca fez curso de etiqueta. Ele aprendeu toda a etiqueta por osmose.

A classe ascendente fez curso de etiqueta, leu Marcelino de Carvalho, jamais beberia cerveja durante um jantar. Então a aristocracia se torna muito simpática ao povo, enquanto a classe de novos ricos se torna muito antipática, e o mulato com frequência é racista. Mas, em defesa dele, posso dizer que há muitas mulheres misóginas, negros racistas, gays homofóbicos e judeus antissemitas. Isso, infelizmente, é uma realidade. O preconceito é um câncer tão insidioso que ele atinge a vítima.

A ponto de produzir falsos mitos em torno da democracia racial brasileira. No Rio de Janeiro, há quem festeje o fato de que, pela sua diversidade e proximidade entre favela e asfalto, a cidade seja um exemplo de convivência entre negros e brancos. Sem dúvida, o Rio oferece um espaço de democratização da presença. Igualmente a cidade é um exemplo da nossa imensa diversidade. Mas o fato de existirem essa diversidade e a proximidade da convivência na praia, por exemplo, não significa democratização da sociedade. Quando, em função do aumento dos arrastões, a polícia para um ônibus para examinar pessoas, ela sabe bem quem será examinada. A polícia sabe qual fenótipo vai retirar do ônibus. Nenhum policial examinará o fenótipo errado.

Portanto, é uma democracia, mas uma democracia que poderia ser dita talvez de forma negativa.

De todas as formas de dominação, aquela que faz crer que você tem direitos é a mais sofisticada. A ditadura pura e simples provoca reação. Como Alexis de Tocqueville analisou no século XIX, quando faço crer que você é alguém que tem direitos e que pode se pronunciar, isso permite ter um controle muito mais simpático do que qualquer outra forma. A ditadura da maioria é um discurso curioso. É a crença do forte. Jorge Luis Borges chamou de superstição numérica acreditarmos que a qualidade esteja num número maior – Borges, um conservador, admirador de Franco e do fascismo.

A pergunta não é se, num período de sol, pessoas descem do morro do Vidigal – área que leva o nome do chefe da polícia do período de d. João VI, famoso por invadir terreiros de candomblé e fechá-los, e também por seu autoritarismo absoluto; ele foi citado em nosso primeiro romance urbano, *Memórias de um sargento de milícias*, e ficou famoso por seu autoritarismo absoluto.

A pergunta, reafirmo, não é se o Vidigal desce. E sim se ele vai subir de volta em seguida. Se o Vidigal desce, temos que saber que o Vidigal subirá depois. O preconceito permite, em casos especiais, que as pessoas convivam por algum tempo. O fato é até bem recebido e filmado. Porém, a convivência não pode chegar a ser íntima e permanente.

A elite paulista é diferente da elite carioca pela falta desse espaço de convivência. Até o século XIX, a elite do Rio morava longe da praia, e via aquele espaço como local de declínio, de marginalidade. A partir do início do século XX começa uma ascensão lenta no mundo da praia. Lembrando que d. João VI, para entrar na praia, construiu um dispositivo com buracos porque tinha medo de caranguejos. D. João não era exatamente tão histérico. É que havia caranguejos em abundância, e por isso pouca gente entrava no mar. Aliás, os banhos de mar de d. João eram uma recomendação médica para curar uma ferida diabética dele. O iodo do mar lhe faria bem. Mas d. João sabia que o mar não era um local interessante.

O Copacabana Palace foi inaugurado em 1923 no contexto pós-comemoração dos cem anos da Independência e ali foi uma tentativa de colonizar aquela região da zona sul do Rio de Janeiro. É preciso lembrar que, quando os escravos do Rio fugiram no século XIX, foram para uma área desabitada e fizeram um quilombo no Leblon, que se tornaria o mais importante do Rio naquele momento.

Essas questões mostram o racismo como uma das nossas maiores violências. "Você tem olhos bonitos" é uma frase comum, que no Brasil não quer dizer outra coisa senão isto: "Seus olhos claros são bonitos." "Essa criança é muito bonita" é outra frase comum, naquele que é o país que mais vende chapinha no mundo e tem a maior tecnologia de chapinha do planeta. O Brasil ser o país do cabelo liso como padrão de beleza diz muito sobre nós, como diz muito o fato de escolher como símbolo da beleza nacional, na Olimpíada do Rio, uma mulher como Gisele Bündchen. É nossa *Übermodel*, linda e extremamente profissional e competente no que faz. Mas quando decidimos pegar uma exceção – uma mulher bonita de origem alemã – para simbolizar a beleza nacional é porque a nossa identidade estética ainda é estrangeira, baseada num determinado modelo do norte da Europa.

Isso está mudando, mas é uma mudança muito lenta. A violência racial existe, é diária, ocorre em revistas de ônibus, em ação de seguranças nos shopping centers e na forma como enxergamos nossos maiores símbolos de beleza.

"Você tem olhos bonitos" é uma frase comum, que no Brasil não quer dizer outra coisa senão isto: "Seus olhos claros são bonitos."

Essa violência também surge de forma muito clara e forte na linguagem. Em cidades como Rio e São Paulo, marcadas pela diversidade, são comuns referências nada elegantes como "paraíba", para designar qualquer pessoa que venha do Nordeste, ou "baianada", para denominar algo malfeito. A violência na linguagem começou a ser reprimida por força de um consenso social e por força da lei. Mas ela existe.

Recentes episódios envolvendo a apresentadora Maria Júlia Coutinho, a Maju, ou a atriz Taís Araújo mostram que as redes sociais são um espaço no qual esse velho espírito escravista tradicional ainda é forte. O leitor e a leitora devem se lembrar do episódio da Maju: na página oficial do *Jornal Nacional* no Facebook, uma foto da apresentadora foi publicada e alguns comentários racistas a acompanharam. "Só conseguiu emprego no JN por causa das cotas, preta imunda", foi um dos comentários. "Em pleno século 21, ainda temos preto na TV", comentou outro internauta racista. Taís Araújo também foi atacada nas redes, chamada de "negra escrota", "macaca" e questionada se já teria voltado "para a senzala".

É vergonhoso e inacreditável. É preciso pensar que a convivência com a diversidade tem história e não elimina o atrito – pelo contrário, de uma certa forma tende a estimulá-lo. Lembremo-nos da ruptura dos guetos analisada por Hannah Arendt sobre os judeus – aqueles do Segundo Império mais preservados dentro dos guetos, os da Terceira República mais diluídos na sociedade. Sua origem está no caso Dreyfus, quando o alto comando do Exército francês encenou um lance de espionagem e condenou um inocente, o capitão Alfred Dreyfus, acusado de vender informações secretas aos alemães. O objetivo do alto comando do Exército era desviar a atenção dos inimigos do verdadeiro segredo, uma nova superarma de guerra. Mas tudo foi descoberto, e os cidadãos, indignados, exigiram a revisão do caso. Dreyfus era um judeu de origem burguesa.

O mundo lida mal com a diferença. Formamos guetos há séculos. Criamos ônibus com lugares para brancos e negros nos Estados Unidos. Criamos a legislação do apartheid na África do Sul. Dizemos aos diferentes que estejam com os diferentes e evitem contato com os outros. A política de gueto tem sua eficácia. Afastando a convivência, impede o desafio da negociação. Mas quando você sai do gueto e age a reação costuma ser violenta. Não havia homofobia quando os gays declarados se restringiam praticamente aos salões de beleza. O homossexual que ali trabalhasse conhecia o seu lugar e o seu espaço. A homofobia tende a aumentar quando ele deixa essa condição restrita, sai do seu gueto, onde ele é tolerado como um mal necessário para o embelezamento das mulheres.

Quando sai do gueto, vai para a rua e grita "além de cabeleireiro, eu sou cidadão" (usando, claro, esse estereótipo do cabeleireiro), o ódio, a violência e o preconceito tendem aumentar. Curiosamente, datas como o Dia Internacional da Mulher, em 8 de março, o Dia do Orgulho Gay, em 28 de junho, e o Dia da Consciência Negra, em 20 de novembro, são datas que, num primeiro momento, tendem a provocar o aumento do ódio. É porque as pessoas ficam impedidas de poder classificar o mundo nas suas gavetas tradicionais. Isso causa insegurança.

E convém lembrar que o ódio é sempre uma resposta ao medo, à insegurança e à ignorância. Como não sei lidar com essas três forças, acabo manifestando o ódio. O ódio é sempre filho do medo, o ódio é sempre filho de uma mudança de situação. O ódio aumenta em período de crise, quando há mais medo. O fato de haver manifestações sobre imigração nos Estados Unidos e na Europa, e não haver no Brasil, apesar da presença massiva de imigrantes bolivianos em São Paulo, é sinal de que os formadores de opinião em São Paulo não se sentem ameaçados pelos bolivianos. Logo, a presença de um número enorme de bolivianos aqui não se transforma num instrumento de ódio, porque não apenas os bolivianos estão trabalhando em confecções em situação de semiescravidão, como também estão bem longe de nossa visão, quando por exemplo se reúnem nas praças no domingo. Longe sobretudo do formador de opinião, do jornal, da revista. Logo, a nossa xenofobia está sob controle.

Basta que o grupo de bolivianos comece a chegar à faculdade e comece a sair do seu "gueto" para disputar espaços públicos, para a xenofobia passar a aparecer de maneira intensa e sistemática. Em países mais fracos economicamente, como a Grécia ou a Hungria, a xenofobia contra a massa de imigrantes é mais forte do que a do governo alemão, que tem uma economia forte – apesar de muitos alemães serem racistas e lidarem bem mal com os turcos, por exemplo.

Quanto maior o medo, maior o racismo. Quanto maior a ignorância, maior o racismo e a violência. Quanto maior a insegurança pessoal, maior o ódio. É uma maneira de eu responder de forma odiosa à incapacidade que tenho de achar minha posição no mundo. Nem todo ataque decorre da inveja do outro, mas todo ataque é fruto do seu medo. Tenho de aprender a odiar.

Como a história de Aníbal, cujo pai o obrigava a jurar ódio aos romanos desde a infância, a queimar a mão em ódio aos romanos. Aníbal de Cartago cresceu no ódio e acabou por se tornar um dos maiores generais que o mundo já viu. A Primeira Guerra Púnica – a guerra entre Cartago e Roma – cresceu nesse ódio. Aníbal foi o líder da Segunda Guerra Púnica. Seguiu a linha de ódio aos romanos que lhe foi transmitida por seu pai, Amílcar Barca, reuniu um grande exército e partiu pela Hispânia para empreender uma das mais audaciosas missões: atacar o Império Romano onde ele jamais esperaria, em sua capital, Roma.

O ódio precisa ser passado adiante, tem de ser ensinado. As crianças não têm, por si, preconceito. Mas, quando aprendem, são rápidas...

A VIOLÊNCIA NOSSA DE TODOS OS DIAS

Falei até aqui da dificuldade do brasileiro de se assumir como um povo violento, racista, preconceituoso e que sente ódio. Essa interpretação em torno do pacifismo nacional se tornou presente de maneira permanente ao longo de nossa história. O leitor deve ficar intrigado, um pensamento não dissipado pela conversa exposta até este momento. Por que isso ocorre? Porque é como gostaríamos de ver o Brasil. Como achamos que o Brasil deveria ser.

Temos certeza de que o Brasil deveria ser pacífico. E aí a inexistência de tragédias naturais notáveis, a ausência de conflitos bélicos acirrados, a escassez de um embate expressivo entre homem e natureza, tudo isso é visto tradicionalmente como um dos símbolos de nosso caráter tranquilo. O fato de o Brasil estar sobre placas geológicas estáveis talvez tenha permitido à sociedade brasileira dirigir sua violência entre si ou para si. As placas geológicas estáveis talvez sejam a única coisa realmente tranquila no Brasil.

Um exemplo de como nos vemos: quando ocorre uma decapitação de alguém pelo Estado Islâmico nós, brasileiros, ficamos horrorizados – aliás, como todo o mundo. Mas decapitações semelhantes se mostraram um fenômeno frequente na rebelião de presos do Maranhão, do Paraná e, recentemente, do Espírito Santo.

Já relembrei em outro momento que a história do Brasil é uma história de violência, ao contrário do que nos ensinaram na escola. Somos um país com um histórico de estupros, linchamentos e ataques variados. Somos um país que vive um clima social de guerra civil, mas assim como os livros de história jamais trataram nossas guerras civis como tais, hoje poucos reconhecem que vivemos sob guerra civil.

É difícil para o brasileiro admitir isso. Temos mais horror à nossa imagem de violência do que à violência em si. E a violência ocorre todos os dias. É a violência dos evangélicos contra os praticantes das religiões afro, a violência do homem contra a mulher, a violência do motorista contra o ciclista. Todos são alvo de violência sistemática. Mas achamos que a violência do outro é endêmica, estrutural e sociológica, enquanto a nossa violência é episódica, acidental e fruto de indivíduos perturbados. É como nos enxergamos.

Os números de mortes no trânsito no Brasil são de fazer inveja a muita guerra. E aparentemente essa violência não nos choca. Temos um dos trânsitos mais violentos do planeta, com índice de assassinato por 100 mil habitantes que supera, por exemplo, o índice de mortos na Faixa de Gaza. Se alguém me pergunta: é mais seguro andar na Faixa de Gaza do que em algumas faixas de pedestres no trânsito de São Paulo, matematicamente a primeira deveria ser a escolha de cidadãos que desejam se sentir protegidos.

O trânsito é uma metáfora trágica para a face violenta do Brasil. A cada 15 minutos uma pessoa morre nas estradas, ruas e avenidas do Brasil. Segundo o Observatório Nacional de Segurança Viária, em 11 anos o número de mortes em acidentes de trânsito triplicou (com dados entre 2002 e 2013). O trânsito mata algo em torno de 40 mil pessoas por ano, segundo as estatísticas do Observatório. A guerra do Vietnã, ao longo de 12 anos, matou 58 mil norte-americanos (e mais de um milhão de vietnamitas). Mas consideramos, com incrível espanto e sincera convicção, que a guerra do Vietnã é violenta. Se matamos quase um Vietnã por ano nas ruas brasileiras, a questão crucial é que a violência é do outro, não nossa. É do sertão de Antônio Conselheiro, não minha. É carioca, não do paulista. É do paulistano, não do campineiro. Jamais ocorre comigo. A violência é sempre espantosa e inexplicável. Só tem sentido no outro.

Isso é o que pensamos, mas não há pessoas inocentes no trânsito brasileiro. Não há inocentes entre motoristas de ônibus, taxistas, carros privados, ciclistas, pedestres e motoqueiros. Todos estão absolutamente envolvidos na violência no trânsito. Por essa razão temos de discutir necessariamente o fim da barbárie no trânsito e buscar um modelo que enfatize a segurança dos mais frágeis, como pedestres e ciclistas, que enfatize mais o transporte público e reduza mais a necessidade dos carros privados.

Faça um teste. Fique atento durante cinco minutos no trânsito e você verá pedestres atravessando a rua fora da faixa, ciclistas seguindo adiante no farol vermelho, motoristas em carros, caminhões e ônibus cometendo barbárie. Fora essa convicção só temos uma certeza adicional: o único inocente sou eu que escrevo e você que me lê. Todos os outros são culpados. Este é um ponto importante para nós: a omissão da responsabilidade no ódio e na violência. Ninguém se inclui no problema.

***

Os números de mortes no trânsito no Brasil são de fazer inveja a muita guerra. E aparentemente isso não nos choca. Temos um dos trânsitos mais violentos do planeta.

O preconceito precisa ser ensinado. Para eu dizer que um boliviano é inferior, tenho de definir o que é um boliviano, pensar na cultura boliviana e interpretar por que a minha cultura será superior à dele. Isso só se faz com aprendizado.

Às vezes o preconceito é tão elaborado que, num lugar como a Inglaterra do século XVI, onde não havia judeus, William Shakespeare produziu uma obra antissemita: *O mercador de Veneza*. Christopher Marlowe fez uma obra ainda pior, *O judeu de Malta*. Mas ambos nunca conviveram com um judeu – todos haviam sido expulsos da Inglaterra e só começaram a retornar no século XVII.

Não há possibilidade de eu saber algo sobre antissemitismo se não fui educado numa cultura antissemita. Não se fala muito em antissemitismo no século XVI porque essa é uma palavra e uma prática do século XIX. No século de Shakespeare, a palavra mais precisa seria antijudaísmo.

Por falar em palavras: elas ferem, palavras são armas, são o prenúncio de violências maiores. O primeiro passo para eu promover o genocídio ou o assassinato de um grupo é estabelecer uma categoria cultural para esse grupo. Umberto Eco nos diz que há duas formas de proceder com esse tipo de ódio. No primeiro, estabelece-se o outro como feio. Como odeio o feio, passo então a desconfiar e criminalizar esse outro que eu mesmo disse que era feio – justamente por não ser igual a mim. Foi o que a Europa fez com as bruxas ou com os negros. Mas há uma segunda forma, igualmente perversa, que segue vetor contrário. Primeiro a desconfiança, depois a feiura. Como já sou antissemita, tenho de criar na cultura a figura do judeu avarento, inventar o judeu maldoso, o judeu sedutor de moças, o judeu pedófilo – imagens que aparecem em caricaturas nazistas. O segundo passo desse procedimento é o campo de concentração. Por isso se diz que as piadas abrem os portões de Auschwitz.

O humor quase sempre é a consagração dos preconceitos mais comuns. As comédias de Aristófanes ajudaram a condenar Sócrates. Peças como *As nuvens* ou *As rãs* são responsáveis pelo deboche da massa diante do intelectualismo e diante dessa questão sofisticada de pensamento. Sempre uma questão delicada e difícil de resolver: o humor pode ser base ou expressão de ódio e a repressão da piada tem um toque de censura e de fascismo...

O debate é longo, mas não há dúvida: as palavras ferem, não são inocentes. Elas deveriam ser controladas, especialmente as politicamente incorretas, porque costumam trazer uma imprecisão. O politicamente incorreto traduz um preconceito, e o preconceito, entre outras características, é falso. Tenta estabelecer uma generalização.

O exemplo clássico é a opinião machista e misógina de que mulheres dirigem mal, que não encontra apoio matemático. As mulheres matam menos no trânsito, e a proporção é brutal, em relação aos homens como motoristas. Logo, as companhias de seguro dão descontos às mulheres não por caridade, mas porque as mulheres têm menos perda total e menos assassinatos envolvidos do que os homens.

Homens, considerando o item "morte no trânsito", são imensamente mais assassinos. Mas o preconceito resiste ao número. Se eu levar em conta a matemática, eu teria que dizer: "Tinha de ser homem", "vai pra casa, seu João". A matemática é contra a direção masculina. O preconceito é uma defesa e não uma lógica matemática. Ele representa uma ideia para que eu me sinta melhor do que outro grupo.

O preconceito não é empírico e, por não ser empírico, é quase sempre fruto de um senso comum. E o senso comum quase sempre é fruto de algo que nos defende de outra coisa. Para eu manter uma massa negra submetida em lugares em que os negros são maioria, e para que essa massa negra incorpore essa submissão, preciso ensinar que ele é inferior. Que ele é descendente de Cam. Se ele nunca ouviu falar, tenho de dizer que é um dos filhos de Noé, por quem foi amaldiçoado. Cam e seu filho foram amaldiçoados e, pela tradição, foram para a África e se tornaram escravos. A vítima deve incorporar o preconceito para que a dominação ocorra. Para nossa dor, é frequente que o negro mesmo se torne racista.

Precisamos exemplificar: o negro deve ser convencido da ideia absurda de que ele é feio. Posso fazer isso por meio de bonecas sempre brancas, de propagandas com modelos loiros e de olhos claros, com ideais de beleza distintos. Tenho de fazê-lo incorporar a ideia de que cabelo "ruim" no Brasil é sinal de cabelo não liso. Isso explica o Brasil ser o paraíso da chapinha. Quando ele incorpora tudo isso, está apto a viver numa sociedade em que se torna o próprio censor. Logo, nesse caso, o preconceito nasce de uma necessidade econômica de dominação. Desse modo, o preconceito cumpre o que na teoria marxista é a função da ideologia – velar uma relação de dominação. Às vezes isso é mais claro, às vezes menos. Mas o marxismo não abarca todo o espectro da dominação e do preconceito.

No caso do preconceito contra as mulheres, ele nasce de uma necessidade de afirmar o papel psicológico do homem, de um falocentrismo, de uma misoginia, que precisa excluir a mulher da autoestima. Há uma demanda pela mão de obra feminina submissa, mas há uma questão cultural forte e estruturada.

O preconceito contra a mulher, a misoginia, é sólido e universal. É o preconceito mais antigo, estruturado e danoso de todos. E é possível que outros preconceitos históricos, como a homofobia, sejam filhos da misoginia.

Basta lembrar que um homem homoafetivo é mais discriminado quando é mais feminino. Perdoa-se com mais indulgência um gay como Rock Hudson do que um que se vista como ou que aparente ser mulher. É provável que a homofobia esteja contaminada por algo anterior e mais vasto, a misoginia. O defeito é ser mulher. O filme *O segredo de Brokeback Mountain* foi algo novo ao trazer *cowboys* masculinos, casados, com filhos e... completamente apaixonados um pelo outro. Parte do sucesso da obra é este: tolera-se melhor que sejam gays, desde que não aparentem o feminino.

Gays mais femininos são mais atacados porque no fundo o que se ataca é a mulher, como se a mulher fosse um mal. As religiões reforçam essa ideia, ao dizer que o mal veio da mulher, de Eva. Porém, esse ataque, do ponto de vista psicanalítico, possivelmente é recalque de homens que durante parte da vida foram controlados por mulheres, como quase todos nós fomos criados e controlados por uma mulher na infância.

A violência contra a mulher é histórica e cultural e deve aumentar à medida que a consciência feminina trouxer essa questão cada vez mais à tona para debate. Ela deve aumentar exatamente porque as mulheres, com toda razão e muita dignidade, estão enterrando um período histórico de aceitação da violência, estão enterrando séculos de tolerância ao assédio, séculos de ocultação da violência doméstica. Nós temos dias muito promissores pela frente. Mas temos também violência.

Os homens têm muito medo das mulheres. Violência, estupro e assédio fazem parte de um compromisso do homem para matar esse medo. O ataque a homossexuais e a mulheres, realizado dominantemente por homens, é um sinal de que hoje o grupo mais assustado da sociedade são os homens. Porque o espaço tradicional da identidade do homem está sendo fechado.

A violência contra a mulher é histórica e cultural e deve aumentar à medida que a consciência feminina trouxer essa questão cada vez mais à tona para debate.

O macho está se sentindo cercado. Chegamos ao absurdo de fazer uma celeuma nacional por conta de um texto de 1949 de Simone de Beauvoir. Foi quando o Enem de 2015 trouxe uma frase conhecida e antiga da escritora francesa e causou alvoroço. "Não se nasce mulher, torna-se mulher" foi a afirmação que amotinou algumas pessoas que descobriram, enfim, a ideia escrita 66 anos antes. Beauvoir adota uma posição que existe há mais tempo ainda: o biológico feminino não é óbvio, mas parte de um processo que envolve elaboração cultural de uma identidade feminina. O tema continua dilacerando o fígado de muita gente. Há quem acredita que ser mulher ou ser homem são dados da natureza e evidentes. É difícil explicar ao preconceituoso a diferença entre biologia e gênero.

Quanto mais frágil a sociedade julga ser uma pessoa, mais a atacará. As mulheres negras, estatisticamente, sofrem ainda mais do que as brancas. Misoginia e racismo são um cruzamento desastroso. Mulheres apanham todos os dias e, quase sempre, a agressão parte do companheiro. Existe uma cultura do estupro que consegue elaborar a frase mais canalha já criada pela nossa espécie: a culpa estaria na insinuação feminina. O racismo já é crime inafiançável, embora se condene menos do que se deveria por esse tipo de comportamento inaceitável. Já a incitação à violência contra a mulher infelizmente ainda não é crime da mesma força, é apenas falta de cérebro e de caráter que gera morte, dor e traumas.

O preconceito contra a mulher a considera mais frágil ou ainda mais apta a doenças. O fato de haver mais mulheres do que homens em todas as sociedades, menos naquelas que praticam o assassinato de meninas, é o fato de que a mulher resiste mais a infecções do que o homem. Matematicamente, a mulher é mais forte.

Se seguíssemos a matemática, quando está fazendo frio a mulher deveria dar seu casaco para o homem, porque a chance de infecção dele é maior. Então, sobrevivem mais meninas. A média de vida das mulheres é sempre maior em qualquer lugar do mundo. No Brasil, o estado com a maior longevidade é Santa Catarina. No mundo, as mulheres japonesas estão entre as mais longevas do planeta. Isso significa uma diferença muito grande, uma vida mais longa.

Logo, o preconceito não se baseia nem na matemática nem na empiria, mas numa defesa. Ataco aquilo que eu temo. De alguma forma, todas as piadas preconceituosas são uma homenagem a uma identidade. Quanto maior a identidade, maior a força da piada. Quanto mais uma pessoa se afirma, mais a insegurança dos outros se define.

Portanto, quando se conta uma piada sobre um "paraíba" ou sobre um gaúcho, é algo que me desafia naquilo que nasce de um medo. Se você pensar que os maranhenses denominam São Luís de Atenas brasileira do século XIX, se você imaginar que o Recife se denomina a Veneza brasileira, vai supor que aqui está um padrão que usa o modelo europeu. Jamais os maias, que são chamados gregos da América, serão usados como referência para os europeus. Jamais pensaremos que a Grécia se vê como a Yucatán da Europa. Ou jamais pensaremos em Veneza como a Recife do Adriático. Ou em Atenas como a São Luís dos Bálcãs.

O outro lado nunca compra essa ideia. Logo, o preconceito é um discurso elaborado, seguido consciente ou inconscientemente para estabelecer uma forma de manter contato. Sua principal arma é a "generacusação". Ou seja, quando um homem dirige mal, ele é um barbeiro, um incompetente, um aloprado. Quando uma mulher dirige mal, ela representa todas as quase 3,5 bilhões de mulheres do planeta. E, portanto, "tinha de ser mulher".

Quando um terrorista basco ou um irlandês explodia algo, quando Timothy McVeigh explodiu em Oklahoma, no coração dos Estados Unidos, um prédio público, todos eles eram loucos ou radicais. Jamais terroristas cristãos. No caso basco e irlandês, católico. No caso do Timothy, protestante. Qualquer árabe que atire o pau no gato é o símbolo de toda a violência árabe e islâmica que pode dominar o mundo.

O preconceito generaliza e dirige meu ódio para um grupo diferente, e por isso que o ódio é aquilo que Leonardo Sakamoto se refere, com muita razão no livro *O que aprendi sendo xingado na internet*, a "um lugar quentinho". O ódio é uma das coisas mais agradáveis que posso emitir. Se eu lhe odeio e se você tem uma característica negativa, então acabo de exorcizar essa sua característica, que provavelmente dialoga com alguma minha. O ódio é um lugar quentinho, e é o seu aspecto de conforto psicológico que o torna perigoso. Porque ele não incomoda, ele agrada. Ele não me desinstala, ele me diz que eu, por ser homem e branco, sou necessariamente superior.

O limite para esse ódio se chama lei. A lei é uma tentativa, com limitações, de estabelecer normas de consenso para impedir o uso da coerção. Quando bem-feita, a lei representa uma certa unidade social. Quando seguida pelas pessoas, ela aumenta o consenso e diminui a coerção. Quanto mais houver crença no sistema jurídico legal, mais eu posso dispensar a coerção.

O ser mais politicamente incorreto do mundo sabe que há limites para a liberdade, segundo as leis de todos os países. Há limites para a liberdade de expressão, por exemplo. O Brasil tem a liberdade de expressão como uma cláusula fundamental da Constituição, mas eu não posso defender um crime. Não posso chegar numa crônica de jornal e dizer que considero a pedofilia a coisa mais natural do mundo e que todos deviam praticá-la. Isso é incitação ao crime e não tenho a liberdade de dizer isso, pois fere a ética e a lei.

Quanto mais frágil a sociedade julga ser uma pessoa, mais a atacará. As mulheres negras sofrem ainda mais do que as brancas. Misoginia e racismo são um cruzamento desastroso.

Aceito que haja limites. A lei é castradora da violência ilegal e, nesse sentido, é uma castração desejável. Que aquilo que seja um defeito do emissor não seja interpretado como um direito natural. Se eu sou um emissor de ódio, contra negros, contra mulheres, contra gays, contra esquerdistas, contra conservadores, o que for, eu tenho que ser reprimido porque não há direito baseado no crime. Tenho direito a discordar do que é subjetivo, não criminoso.

Os americanos chamam de *blue line*, metáfora advinda da cor azul do uniforme da polícia de lá, a frágil linha que separa a sociedade ordeira da barbárie violenta. A polícia, a lei, o sistema de costumes e de regras garantidos pela punição seriam reforço dessa fronteira tênue que aparta, de forma invisível e delicada, a coesão social do horror. Ou seja, nossa sociedade caminha em paz como um elefante numa loja de cristais.

O que ocorreu no Espírito Santo, em fevereiro de 2017, foi a ruptura da *blue line*. A coerção entrou em colapso e, como nosso mundo tem pouco consenso, o pandemônio mesmerizou o país. Houve a desordem óbvia de bandidos estimulados pela falta de repressão. Houve o menos claro surto de saques feitos por cidadãos comuns até aquele instante. Como escrevi na época num artigo de jornal, Thomas Hobbes e Hannah Arendt comeram moqueca capixaba lamentando tudo, mas entreolhavam-se com muxoxo indisfarçável: "Eu não disse?"

Posso dizer, com toda tranquilidade, que eu, Leandro, não gosto de tal partido, ou que tenho tal orientação sexual, ou tenho tal gosto musical. Mas não posso dizer que negros são inferiores, porque, além de obviamente ser falso e de ser uma idiotice, essa é uma maneira de incitar o ódio.

Não é coincidência o fato de que jovens negros, meninos de 18 a 25 anos, na periferia das grandes cidades, são alvo preferencial de morte. Ou seja, vive-se menos por causa desse preconceito. A morte violenta de rapazes de 18 a 25 anos é um verdadeiro genocídio. Ao expressar o preconceito, portanto, estou reforçando um assassinato. Não pode haver liberdade em torno disso. Eu não posso chegar dando um soco e dizer que é minha maneira de me expressar, porque a lei pressupõe que isso seja agressão física.

Não existe direito a partir de um crime, e as pessoas confundem liberdade com a regra social. Tenho direito de liberdade de expressão para dizer que eu prefiro Machado de Assis a José Alencar, que eu prefiro um carro a outro, que eu gosto mais disso ou daquilo. Não tenho direito ao preconceito. Isso não só tem que ser reprimido como criminalizado para que as pessoas entendam que racismo, misoginia, homofobia ou demofobia (desconfiança do povo), todos constituem gestos de ódio. Esse gesto de ódio institui a violência real.

Tudo começou em nós mesmos

Na história do pensamento ocidental, pode-se percorrer de um extremo ao outro sobre o entendimento do ser humano. Jean-Jacques Rousseau acreditava na bondade natural do homem. Segundo ele, o homem nasce bom no chamado estado de natureza, mas a civilização o torna mau, violento e triste. Thomas Hobbes, no entanto, pensou o inverso. Nada de bom selvagem.

Os males imperam, entre outras razões, porque a natureza humana é regida pelo egoísmo e pela autopreservação. Portanto, o homem não possui uma disposição natural para a vida em sociedade – *homo homini lupus*, na sentença latina que significa que o homem é o lobo do homem, reformulada por Plauto (254-184 a.C.) e popularizada por Hobbes no século XVII. Essa é uma maneira simplificada de observar o pensamento desses filósofos. Em sala de aula, costuma-se dizer – mesmo reconhecendo ser um resumo parcialmente verdadeiro – que Hobbes acredita na natureza humana e sua má índole. Rousseau acredita que o homem nasce bom, mas a sociedade o corrompe.

É um pouquinho mais complicado do que isso, especialmente em Hobbes, que não chega a dizer dessa forma, mas é mais didático resumir dessa forma. Para sermos honestos com Hobbes, num livro chamado *Do cidadão*, ele nos diz que, como indivíduos, como cidadãos iguais, tratamos nosso semelhante como se fossem deuses. Mas se pensarmos nós mesmos como cidades, ou seja, coletivamente, somos lobos uns dos outros. Hobbes descrevia isso que estamos analisando: a tendência que temos de tratar bem a quem nos serve de espelho e de tratarmos mal a quem nos é diferente. Os homens, escreveu, defendem-se, no segundo caso, elevando a um santuário as duas filhas diletas da Guerra: a violência e o engodo. Em todo caso, entre Rousseau e Hobbes, estou mais para John Locke. O filósofo inglês acredita no homem como uma tábula rasa. Invoco a empiria inglesa, na qual Locke e David Hume estão inseridos. Quero ser mais Locke do que Locke e os empiristas. Não para dizer que o homem nasce neutro moralmente – nem bom, nem mau – mas que o homem nasce sem conceitos culturais. Bom e mau são conceitos construídos por uma moral.

O que considero "mau" hoje, que é um nazista, foi algo bom para alguns alemães, na Alemanha do período que vai de 1933 a 1945. Um juiz inquisidor foi considerado no passado um redentor da sociedade, aquele capaz de purificá-la. Quando o médico português António Egas Moniz inventou a lobotomia, ganhou o prêmio Nobel. Equilibrados suecos refletiram na metade do século XX que transformar o ser humano numa samambaia era tão legal que mereceria o prêmio Nobel, uma vez que não havia medicamentos psicotrópicos eficazes, nem uma psicanálise que tratasse os comportamentos agressivos. Resultado: o homem que eliminava o risco de transformar o doente mental num assassino significava um enorme avanço. Ele foi reconhecido com o prêmio pelo valor terapêutico da lobotomia.

Naquela época a lobotomia era um avanço. Posso criticá-la hoje baseado numa nova concepção, mas o bom e o mau são, para o historiador, conceitos históricos. Logo, o homem não nasce moral, nasce antes da definição do que é bom e mau e terá que aprender essas definições ao longo de sua vida. Quando vemos um filme em que as pessoas estão usando cilício ou chicote por motivos religiosos, ou apertando cintos com pregos ao redor do abdômen para se punirem religiosamente, interpretamos como um problema patológico.

Esse tipo de punição está fora do nosso universo atual. Nossas formas de tortura e mutilação consentida são outras atualmente (posso citar furar a orelha de uma criança, passar fome para perder peso, usar um salto que destrói a coluna, todas formas socialmente aceitas de violência/mutilação consentidas e aceitas). Nós nos consideramos equilibrados, mas enxergamos desequilíbrio no homem medieval.

O que estou dizendo não é o que é bom ou o que é mau, mas que são os conceitos morais que definirão o que é bom e o que é mau. Mais uma vez, volto a Hobbes, que acreditava que as palavras "bom" e "mal" eram sinônimas de "desejado" e "odiado". Se gostamos de algo, nomeamos esse algo de bom. E o contrário também é verdadeiro: algo mal é algo que, fundamentalmente, nos desagrada. O leão não come a zebra por maldade, nem por bondade, mas por ser carnívoro. Nós, seres humanos, temos essa racionalidade.

O principal vilão da peça *Otelo*, de Shakespeare, diz que transforma nosso cérebro em jardins e nós, em jardineiros. Posso plantar ervas úteis ou urtigas, de acordo com o meu desejo – cabe

Os males imperam porque a natureza humana é regida pelo egoísmo e pela autopreservação. O homem não possui uma disposição natural para a vida em sociedade.

a mim elaborar. Nossa sociedade considera hoje uma virtude a convivência harmônica e mutuamente complementar das diferenças. Há cem anos, isso não era uma virtude. Portanto, é preciso reconhecer a subjetividade do procedimento. Porém, uma vez tratar-se de uma convenção social, estabelecemos normas melhores de convívio, que podemos justificar até tecnicamente.

Todos os valores morais são subjetivos. Não há uma moral acima da história. Basta comparar a visão que temos de genocidas do passado, que mataram povos com os quais não temos nenhuma relação, como Alexandre, o Grande, com genocidas do presente, que mataram povos com os quais temos alguma relação ou nos identificamos. Genocidas do presente são simplesmente genocidas e assassinos, mesmo provavelmente tendo matado menos do que genocidas do passado. A moral se revela sempre adaptada. É uma espécie de moral pragmática, que se adapta a uma necessidade, a um momento, a uma questão histórica. Obviamente a moral não é a-histórica e atemporal, mas isso não a torna inútil.

Para o historiador, a convenção que cria representações culturais morais é uma realidade. Para usar um exemplo a que recorri muitas vezes em sala de aula: o medo do bicho-papão, para a criança, produz enurese, ansiedade, taquicardia e insônia. São quatro coisas reais. Mas o bicho-papão não existe. O discurso racional, nesse caso, não funciona. Não basta para você chegar ao seu filho e dizer: "Meu filho, isso é uma representação do seu medo metaforizado no bicho-papão. Pode ficar tranquilo, bicho-papão não existe. Agora durma." Não vai dar certo. Esse código racional não combaterá de maneira eficaz o instintivo do medo. O medo é real.

Há o medo real das pessoas sobre a imersão das diferenças que desafiam a sua identidade. Esse medo real provoca insegurança, porque no momento em que afirmo não ter a sua orientação religiosa, a sua identidade étnica ou a sua orientação sexual, de alguma forma você sente que perdeu a coesão da tribo. Ao perder a coesão da tribo você é obrigado a assumir uma identidade, algo que é muito mais complicado do que a tribal.

É preciso muita convicção para dizer *eu sou hétero*, apesar de você ser gay; *sou ateu*, apesar de você ser evangélico; *sou negro*, apesar de você ser branco. Isso deflagra a necessidade de tomada de posição de si e do outro. Como a maioria das pessoas trabalha com insegurança, é muito difícil dizer o contrário do que a sociedade em geral afirma. Daí precisa enfrentar, por meio do ódio, essa diferença, e acreditar que sua opinião é ruim e defeituosa na origem porque você é uma pessoa odiosa.

Além de lhe garantir segurança, o ódio apresenta um segundo elemento: transfere a você tudo o que é de ruim. Você só pode ser petista por ser um ladrão. Você só pode ser do PSDB porque é de uma elite branca, insensível e fascista. Não há outra opção, tudo o que é ruim está no outro. Isso cria uma zona de conforto em quem odeia. Como não sou ladrão nem fascista, sou uma pessoa correta. Você só pode ser pobre por ser um vagabundo, e eu só posso ser rico por ser esforçado, o que demonstra antes de mais nada uma falta de consciência da dinâmica social do capital.

Mas dessa forma, ó ódio tira o meu esfíncter do ortogonal, para dizer de um modo elegante. Essa é a função bíblica e histórica do bode expiatório. No Levítico, livro do Antigo Testamento, fala-se do costume no dia do Yom Kippur, o dia da expiação. Nesse dia, o Sumo Sacerdote escolhe um bode expiatório sobre o qual são lançados todos os pecados do povo judeu. Esse escolhido, um bode vivo, tem lançadas sobre sua cabeça "todas as iniquidades dos filhos de Israel, e todos os seus delitos e pecados", e em seguida é levado até o deserto para lá ser abandonado para morrer.

O ódio transfere a você tudo o que é de ruim. Você só pode ser petista por ser um ladrão. Você só pode ser do PSDB porque é de uma elite branca, insensível e fascista.

A busca de algo ou alguém para purgar os próprios pecados – ou os próprios problemas – tem uma função simbólica poderosa. Se fracassei no vestibular é porque há cotas para negros e pobres que receberam privilégios e me superaram. Se não progredi na minha profissão é porque os judeus são ricos, avarentos e não me deixam espaço. Se não consigo mulheres como eu gostaria é porque os gays, contraditoriamente, estão em todos os lugares. Um verdadeiro hétero deveria ficar tranquilo com a abundância de gays, porque isso garantiria uma maior quantidade de fêmeas para o seu harém.

Ou o fato de o Brasil ser pobre – coisa que ele é desde 22 de abril de 1500 – só por causa do governo A ou B. Antes éramos um paraíso, onde não havia corrupção e todos andavam pela rua com cestos de frutas tropicais e cantando hinos religiosos, mas esse partido tornou tudo odioso neste país. Durante a ditadura militar não havia assaltos nem corrupção, e tínhamos uma sociedade com menos desigualdades sociais. As obras eram fabulosas. Mas esse grupo de esquerda (ou de direita, ou de centro) que tomou o poder acabou com tudo.

Pensar assim significa transferir para o outro o meu medo e a minha insegurança. Desse modo, todo o meu fracasso se torna justificável. Tudo fica bem porque nos acolhemos numa zona de conforto do passado – que, aliás, não faz parte da minha escolha.

O português José Saramago escreveu um livro genial, *O Evangelho segundo Jesus Cristo*, no qual o demônio se mostra espantado com tantas atrocidades cometidas na história do cristianismo, em nome de Deus Pai. E Deus diz: "Não posso ser Deus se não houver o diabo." O ódio é um elemento muito poderoso, que confere identidade. As igrejas insistem na ação do demônio. A felicidade mantém as coisas menos intensas. É preciso medo e tensão.

A ideia de que o ódio cria incentivos é manipulada por um movimento que vira a base de nossa identidade. Pegue-se o amor universal, nos moldes da proposta cristã: *amar a todos como devo amar o meu filho* com a mesma identidade se mostra irrealizável, porque devo amar mais quem me faz mal. É uma ideia utópica bonita, mas as utopias estão fadadas ao fracasso, algo desenvolvido pelo pacifista israelense, Amós Oz.

É fundamental que meu inimigo exista para eu saber quem sou. Deus e o diabo fazem parte da mesma gramática. Se minha vida é protegida por Deus e atentada pelo demônio, se o mal vem do demônio, e o bem vem de Deus, nos dois casos a minha culpa é diminuída. Cabe a mim apenas ser um joguete nesse xadrez celeste. É uma grande questão que o príncipe do inferno, aquele que se opôs a Deus, tentou Adão e Eva, jogou contra Jó, tentou Jesus e agora faz isso numa família pobre da Vila Nhocuné, zona leste de São Paulo, quando um parente incorpora o demônio e o pastor exorciza. É uma forma de homenagem poderosa a mim, porque o mesmo demônio tentou o Nosso Senhor Jesus Cristo, se deslocou até o extremo e veio me tentar.

Você poderia pensar que o demônio, se fosse estratégico, tentaria pessoas de maior importância midiática ou geopolítica. O demônio atacaria mais Donald Trump (ou talvez até já tenha feito). Atacaria mais o papa Francisco, ou talvez o motorista de ônibus. Seria mais eficaz no desastre do que uma pessoa que não tem essa relevância naquele momento. Mas o ataque do demônio é tão importante quanto a proteção de Deus. Ele me dá uma dignidade e tira de novo a minha responsabilidade, ainda que todas as religiões monoteístas digam que a possessão demoníaca depende também do livre-arbítrio, da vontade de ser possuído, ou ainda que previamente eu dê licença a essa invasão demoníaca.

De qualquer forma, quando encaro num ser, num partido, num sindicato, numa cor ou numa orientação sexual o ódio que preciso sentir eu obviamente ganho em dignidade. E cresço. Portanto, essa existência bipolar do mundo é uma gramática que se complementa. Se amo meu time é porque os outros são piores. Mas aí vem o diálogo bastante revelador:

– O que você ama no seu time?

– Ah, tudo.

– Se os jogadores jogarem mal e perderem, o que você faz?

– A gente invade e quebra. Mata os jogadores.

– Então você não ama os jogadores. E os dirigentes?

– Estes são atacados o tempo inteiro.

– E o estádio?

– Um horror, todo quebrado.

– Então, o que você ama no seu time?

– Na prática, só a mim. Eu não amo absolutamente nada no meu time. Eu amo a mim, e todo resto é uma invenção.

Narciso é a chave de tudo isso. É a fonte dessa identidade. É claro que as questões não são apenas "psicologizantes". É claro que são também "socializantes" e históricas. Mas é óbvio que, se meu time é o melhor, o importante nisso é o pronome possessivo "meu", e não o substantivo "time". O meu é o melhor, não importa a minha orientação, a minha cor, a minha família. Porque esse é um amor voltado a si. O ódio ao outro é um amor a si.

Quando digo que você é um imbecil ao apontar o dedo, outros três dedos apontam para mim mostrando que devo ser brilhante, afinal você é imbecil. Se você é alguém idiota, então eu devo ser inteligente. É uma vontade de se melhorar. E esse narciso é muito forte, mas inseguro. Buscando contradição em termos psicanalíticos, se fosse um narciso seguro não precisaria apontar para o outro. Seria algo realizado em si mesmo.

Se minha vida é protegida por Deus e atentada pelo demônio, se o mal vem do demônio, e o bem vem de Deus, a minha culpa é diminuída. Sou só um joguete nesse xadrez celeste.

Uma pesquisa nos Estados Unidos tentou mostrar quanto custa a felicidade. Foi estabelecido um número que, no Brasil, seria o curioso patamar de R$ 11 mil por mês. O mais discutível não é o número, mas o fato de ignorar que o dinheiro que me traz felicidade é o mesmo que tira a felicidade dos outros. Tenho de ganhar mais do que meu cunhado ou meu vizinho. Minha casa e meu filho têm de ser mais bonitos. Preciso ser mais rico do que os outros para ter mais felicidade. A felicidade que se sente com uma Ferrari é apenas uma representação, pois é feita para o outro. Ela nem é confortável, mas dá ao outro a noção do que não se tem.

Sugiro sempre aos meus alunos em sala de aula: experimentem chegar para alguém ou para algum grupo e dizer que seu signo é Aquário. Ouvirão alguém informar que é de Libra, outro de Peixes e assim por diante. As pessoas jamais entrarão na sua conversa, mas falarão de si. Desolado, você vai complementar: "Meu ascendente é Aquário." Seu interlocutor dirá que seu ascendente é Touro. Se vocês chegarem esta noite em casa dizendo que estão cansados, provavelmente ouvirão um "eu também estou", e não uma questão: "Amor, hoje seu dia foi particularmente pesado?" Ninguém escuta, ninguém responde. Não há o outro, só a si mesmo.

Toda classificação, toda raiva que uma criança ou um jovem tem na escola, todo apelido que ele dá às diferenças é uma tentativa de se promover pelo ódio ao pertencimento do grupo maior que reforça o seu Narciso. Quando digo que você é quatro-olhos, rolha de poço, veado, seja o que for, é a maneira de dizer que eu quero solidariedade com os que não são rolha de poço, com os que não são ou se consideram héteros, e assim formar um grupo. O preconceito e o ódio são uma forma de socialização.

Os ditadores usavam isso muito bem. Os nazistas reforçaram o preconceito sobre a figura do judeu como inimigo de tudo que era bom. Os socialistas de Cuba criaram nos Estados Unidos o fantasma contra a revolução. Os norte-americanos criaram o vermelho: ou o pele-vermelha, o inglês de casaco vermelho na época da independência (chamados de casacas-vermelhas), ou o socialista vermelho (é uma tentação dos norte-americanos pelo vermelho, ou pelo demônio). Quando fazem isso, estão dizendo: "Não temos nenhum motivo para estarmos juntos, mas temos inimigos em comum."

Explorar medos coletivos, dirigir violências contra grupos em meio a histerias sociais, aproveitar-se de crises para assustar a muitos com fantoches, usar propaganda sistemática e fazer da violência um método exaltado é uma estratégia comum a ditadores e todos aqueles, mesmo na democracia, que pretendem dominar as pessoas. Sentir medo faz eu ceder minha liberdade. O medo é aliado do poder.

Nosso mundo costuma pensar no nazismo como a encarnação perfeita da violência. Os horrores do Holocausto endossam a ideia. Ao analisar o que dizia um famoso oficial hitlerista em seu julgamento por crimes de guerra, nos anos 1960, Hannah Arendt refletiu que o mal não era algo excepcional que atacaria seres sádicos e malévolos. O mal não seria um salto ou uma quebra de humanidade. O mal era banal. Adolf Eichmann, alvo do estudo da filósofa, era bom pai de família e exemplar na convivência diária. Esse homem, dominantemente calmo e organizado, ordinário em muitos aspectos, foi responsável pela morte de centenas de milhares de seres humanos. A ação era monstruosa, o indivíduo era comum. O incômodo da leitura de Eichmann em Jerusalém é que sentimos a violência como próxima de nós. A pior das conclusões é que é muito fácil de se repetir.

O método descrito de exploração do medo para exercício do mal e da violência, infelizmente, não se encerra com o fim do regime nazista e nem precisa de brilhantismo. São recursos fáceis na maioria dos momentos históricos, especialmente os de crise.

Mas, ao fim da experiência totalitária nazista, 6 milhões de judeus tinham desaparecido. Ao lado do racismo antissemita, outras vítimas como ciganos, testemunhas de Jeová, militantes comunistas, homossexuais e deficientes físicos e mentais tinham encontrado a morte.

Voltamos aí ao bode expiatório. Criar um bode expiatório constitui uma tarefa genial. Sartre chega a dizer que o judeu é uma invenção do antissemita. Trata-se de uma ideia forte e radical – talvez não valha sempre – mas é fundamental, porque o ódio tem um poder de coesão que o amor não tem.

O AMOR CONTRA O DRAGÃO DA MALDADE E DA INVEJA

O amor, o afeto e a convivência, e do outro lado o ódio, o desafeto e a desunião, são contagiosos. Mas o amor é um contágio lentíssimo, enquanto o ódio é um contágio viral, de uma rapidez enorme. O ódio é muito mais sedutor. O mal é sedutor. Ninguém deixa de parar ou observar um acidente na estrada. Mas ninguém para para dizer "que coisa linda essa quaresmeira à beira da estrada". A beleza, o afeto são menos sedutores imediatamente.

Causa sucesso em sala de aula falar sobre Hitler, mas poucos alunos costumam dar atenção a Konrad Adenauer, o chanceler alemão que salvou o pós-guerra. Era um velhinho, católico, que reergueu a Alemanha após a devastação da Segunda Guerra, liderou a reconstrução da Alemanha e tornou o país uma potência econômica e democrática. Mas Adenauer não causa o encanto dedicado ao agressivo e irônico Winston Churchill, por exemplo.

Personalidades negociadoras e pacifistas são menos sedutoras do que as violentas e odiosas. É o ódio, e não o amor, que de fato nos seduz e nos deleita.

Clement Attlee, o sucessor, era chamado por Churchill de um zero à esquerda. Churchill adorava contar que Attlee era cordeiro em pele de cordeiro. No fundo, Churchill tentava mostrar que Attlee era medíocre. Dizia: "Chegou um táxi ao Parlamento. Não tinha ninguém dentro, e saiu Attlee." Era uma piada clássica do conservador. Com seu veneno, sua rapidez, sua imagem de vencedor de guerra, era um herói. Attlee, o primeiro homem a dar direitos sociais na Inglaterra, e a construir o *Welfare State* britânico, o Estado do Bem-Estar Social, não era classificado na mesma categoria.

Misericórdia é sinal de fraqueza. Afeto está ligado ao feminino. E o ódio se relaciona com o macho alfa. O ódio é masculino. Ao pertencer a um país, eu o chamo de "pátria", lugar do meu pai, masculino. Isso não quer dizer o masculino biológico, mas o masculino que confere identidade. Tenho pátria, não tenho "fátria", nem "mátria". Não tenho irmãos nem mães, tenho pátria.

Do ponto de vista católico, se é um marido fiel, você é bom e Deus irá compensá-lo. Do ponto de vista budista, ser fiel ou infiel não importa se ambos sentem orgulho – um da sua luxúria, outro da sua virtude. Em outras palavras, ambos erram se estão a serviço do seu "eu". Erram porque estão iludidos nessa fantasia do "eu". Essa é a diferença do budismo para as religiões morais. O budista não vê bem e mal, mas enxerga a fantasia da identidade do "eu". Essa identidade crava suas garras e faz com que a mulher que jamais traiu o marido afirme: "Não sou como essas que traem por aí." Ela está tão obcecada com sua virtude quanto aquela que trai sistematicamente e está obcecada com sua não virtude. É o antinarciso.

A tirania do bem é terrível. Quase todos os genocidas, de quaisquer espécies (assassinos em série, pessoas violentas ou médicos adeptos da eugenia nos Estados Unidos da década de 1930), nunca agem em função do mal, sempre o fazem em função do bem. Por essa razão o bem também tem um poder de destruição muito grande. Em nome do bem posso fazer o mal e tudo está eximido.

É errado você forçar seu filho ou ser violento com ele, mas se for para dar uma vacina, uma injeção necessária (o bem), é possível forçá-lo. Ele esperneia, você segura, a enfermeira louva a sua energia, o médico destaca a sua boa paternidade e diz: "Tem que ser assim mesmo." E você ainda complementa "Você não sabe, meu filho. No futuro, ainda vai me agradecer". Não. No futuro ele vai para o psicólogo em função de todo o bem que o forçaram aceitar.

A virtude e a ditadura do bem exibem uma enorme vaidade. Hoje as pessoas que mais odeiam são aquelas que usam a expressão "pessoas de bem". Sempre desconfio de quem usa expressões como essa. A sociedade das "pessoas de bem" tem uma carga de ódio muito assustadora. As "pessoas de bem" são capazes de matar, agredir e cercear em nome da virtude. A ditadura da virtude e o mal com fins e metas virtuosas talvez sejam o pior lado de todos, porque é mais difícil de combater. Constituem algemas de seda, baseadas na culpa e no bem. O mal em si, o mal que é mau, esse é mais fácil de ser desfeito do que o mal disfarçado em bem. Raras foram as agressões históricas assumidas como exercício puro de poder ou de maldade. Quase todas foram para melhorar a sociedade, tirar o mal dela. O plano de exterminar os inimigos da boa sociedade moveu cidadãos do bem do passado. Em nome do Bem e da Verdade matamos milhões de seres humanos, em *gulags* na Sibéria, em paredões em Cuba ou no Araguaia nos anos 1970. O homem de extrema esquerda que disparava a arma contra o soldado da ditadura queria o bem. O militar que disparava contra o guerrilheiro queria o bem. Ambos consideravam que o bem era eliminar o outro, o agressor de verdade, o inimigo da liberdade e da pátria.

Qualquer característica humana precisa ser catequética. É algo que preciso impor ao outro. O fato de trabalhar 16 horas por dia é um peso tão grande para mim que se você dormir 10, 12 horas por noite, sentirei muita raiva. Afinal, é o que eu gostaria de fazer. Então responderei a isso afirmando que sou a virtude, em vez de dizer que sou frustrado por excesso de trabalho. Quero que você se sinta frustrado pela sua preguiça.

Sei que é difícil buscar uma interpretação psicanalítica sem parecer arrogante, mas o narciso domina quem acorda às 4 horas da manhã e domina quem dorme até as 4 horas da tarde. Narciso domina ambos, a diferença é que um dorme mais e o outro dorme menos. Ambos são vítimas do próprio narciso. Identificar isso como virtude é um trabalho da cultura. Dizer que tempo é dinheiro, aliás, já faz parte da cultura.

A vaidade tem relação com vazio, sentimento falso de se firmar sobre algo sem base. Esse foi o pecado de Lúcifer: sendo o mais belo dos anjos, sendo o portador da luz, sentiu-se superior e liderou uma rebelião contra o Criador. Achar-se muito e formar quadrilha foram os primeiros crimes do universo até então um coro uníssono de louvor a Deus.

Como o pai da mentira, desejamos ser o que não somos. Soberba levou o anjo a cair do céu e nossos pais a perderem vaga no Éden. Aqui estamos, os degredados filhos de Eva, e, passados 7 mil anos (ou 4 milhões) do episódio, continuamos inchados de orgulho. O Eclesiastes tinha razão. A vaidade é um vazio que temos tentado preencher desde a origem.

As "pessoas de bem" são capazes de matar, agredir e cercear em nome da virtude. O mal com fins e metas virtuosas talvez seja o pior de todos, porque é mais difícil de combater.

Já pude escrever em outro momento que vaidade é vazio porque eu pretendo algo falso. Exemplo: o arcanjo achou que poderia vencer Deus. Outra vez impossível. O demônio disse a Adão e Eva que eles seriam como deuses se experimentassem do fruto. Isso é impossível. Logo, estamos lidando com vaidade, vacuidade, o nada tornado orgulho. Mas e quando a imodéstia de alguém é baseada em fatos concretos? Quando o vaidoso ou a vaidosa possuem base para se sentirem acima da reles humanidade? Uma mulher belíssima, um homem bonito; poderiam essas Helenas de Troia e esses Adônis terem direito à soberba? Se fossem humildes, seriam falsos? Um homem genial, um criador brilhante, uma mulher cultíssima, um jovem com habilidades físicas muito acima do comum: teriam de substituir o erro da vaidade pelo erro da mentira?

Talvez o único antídoto para a vaidade seja a própria vaidade: saber onde sou bom ou ruim é uma maneira de eu não precisar invocar ursas famintas sobre pessoas que me dizem a verdade. Há predadores que punem nossa vaidade por perturbar a deles. Eles estão nas nossas redes sociais e têm mais fome do que as ursas do profeta. O ódio está aí.

A psicanálise e a religião são ferramentas fundamentais para entender esse jogo moral que nos leva a vociferar contra outros e me inserir numa zona calma. Jesus e Freud, dois grandes judeus, são os maiores denunciadores desse jogo moral. Jesus fala da autenticidade. Diz que os fariseus parecem religiosos, mas são apenas vaidosos, e os chama de sepulcros, raça de víboras. E chama os saduceus, que são ricos, de pessoas insensíveis, que fazem propaganda da sua caridade. E assim por diante. Não apoia o Zelotes porque diz: "A César o que é de César, e a Deus o que é de Deus." Jesus teria, nesse caso, a figura do "isentão", que não opta por nenhum dos partidos dominantes naquela época: nem essênio, nem saduceu, nem Zelotes, nem fariseu.

Jesus era um iconoclasta. Falava de uma virtude sem molduras e sem publicidade, como mostra o núcleo duro do cristianismo – capítulos V, VI e VII de Mateus, as bem-aventuranças. Ali, apresenta-se o amor acima de tudo e a caridade superando a lei, algo dito antes pelo verdadeiro fundador do cristianismo, Paulo, cujas cartas são anteriores aos evangelhos. Paulo escreveu o hino à caridade de Coríntios: o amor suporta tudo, a tudo aceita. A caritas, no sentido de ágape, de amor e entrega. Jesus denuncia instituições, falsidades, hipocrisias, características de cenografia para disfarçar sua vaidade, sua maldade e sua incapacidade de amar.

Freud não acredita no amor como Jesus acredita. Ele apenas denuncia que as ações são orientadas a partir de experiências traumáticas, infantis, e outras relações que determinam que o que eu chamo de virtude ou ódio são maneiras de me relacionar com a minha biografia, minha formação, meu "supereu" e outros impulsos.

Freud denuncia que até a virtude e a crença na virtude são maneiras de produzir um bem-estar para mim. Se Jesus diria que há demônios que só podem ser expulsos com jejum e penitência, Freud afirma que o masoquismo é a fantasia mais universal da espécie humana; logo, se quero jejum e penitência é porque busco o prazer masoquista da renúncia.

São duas interpretações inteiramente distintas, mas Jesus representa a utopia mais radical já proposta: a utopia de amar quem eu não gosto, de amar os meus inimigos mais do que amar os meus filhos. Quem ama seus filhos, diz Jesus, é um pagão. Os pagãos amam seus filhos, dão presentes, protegem a família e não têm Jesus. Portanto, um cristão não é cristão por amar a família.

É cristão por ter superado qualquer ódio e por conseguir amar seu inimigo. Se alguém o obriga a andar cem passos, ele anda duzentos. Se pede a túnica, ele dá o manto. Se alguém lhe bate a face direita, ele oferece a esquerda, e vice-versa.

O cristão é aquele que superou completamente o ódio e, quanto mais você me insulta, se eu for cristão, devo amá-lo. Por essa razão Nietzsche afirma que o último cristão morreu na cruz. Ou seja, Jesus foi o primeiro e último cristão.

Alguns bons especialistas, como o pesquisador irlandês Paul Johnson, acham que o cristianismo é uma invenção de Paulo. Foi ele quem deu forma a essa barafunda. Seus escritos são anteriores aos quatro evangelhos. Paulo é o grande formulador dessa ideia.

Para Freud, não se trata de pensar no homem bom ou mau, mas que moralidade é formada a partir de experiências pessoais. Se tenho uma boa projeção com meu pai, que foi advogado e professor, se fui alimentado na infância pela ideia de fazer as coisas bem-feitas, isso me traz um benefício e vou criar a figura do profissional empenhado, pontual e cumpridor. Esse será o meu prazer.

Todas as vezes que uma empresa diz que minha palestra foi boa, essa empresa está recuperando uma experiência infantil que meu pai, minha mãe e as irmãs Lorena e Angelina falavam para mim. É dessa forma que eu recupero uma dor – se tiver sido uma experiência traumática – ou um prazer, de tal forma que, dentro de mim, existem ainda figuras preceptoras que incorporei ao meu "supereu" e continuam a dialogar comigo. Mesmo que algumas delas estejam hoje jazendo no fundo do solo como figuras físicas.

Não se trata, portanto, de eu ser bom ou ser mau, mas de eu ser um Leandro subjetivo, uma experiência biográfica que continua respondendo a essas questões.

Raras foram as agressões históricas assumidas como exercício puro de poder ou de maldade. Quase todas foram para melhorar a sociedade, tirar o mal dela.

Rousseau disse no *Emílio* que o adulto é filho da criança. Comenius escreveu que todos podem aprender na sua *Didática magna* e, quanto mais eu ensinar, mais o adulto estará apto ao aprendizado. Mas Freud afirmou que, de fato, o adulto é filho da criança, mas é acima de tudo um *servo* da criança, porque não consigo desgrudar desses valores que foram passados.

Por isso muitas vezes é difícil combater o ódio porque estou dialogando com uma experiência que foi dada por mamãe e vovó. Se mamãe e vovó eram racistas, é difícil que eu supere. E, se eu superar, para Jesus se trata de uma conversão. "Hoje a salvação entrou nessa casa", ele disse a Zaqueu. Mas, para Freud, se eu superar é pelo fato que tento suplantar ou matar meu pai. E, ao matar o pai, produzo minha própria identidade. Isso é nascido da minha dor com meu pai, e não da minha virtude de superar o racismo.

Dos dois judeus, Jesus é mais fácil de ler e entender do que Freud. Porque Jesus diz: "Olhai os lírios do campo." E Freud afirma: "Se você obtém prazer nos lírios do campo, é porque vem de sua tradição familiar, de sua biografia." Esse exercício estetizante traz egos sinestésicos de prazer que dialogam com a sua infância.

A história é maior do que a filosofia, embora a filosofia seja a mãe das ciências. O filósofo francês Luc Ferry fala de algo concreto sobre o amor: não conheço ninguém no Ocidente que morreria pelo Estado ou por Deus. Mas não conheço nenhum pai de família que não daria a vida pelos filhos. Ele afirma algo concreto, a ideia de que a família se tornou a única causa pela qual quase todas as pessoas dariam a vida.

Mas família nem sempre foi assim. Entregar as filhas para a escravidão a fim de pagar as dívidas era uma instituição legal em algumas sociedades. Foi abolida por leis na Grécia e na Roma antigas, mas entregar as filhas para a prostituição é bastante comum em algumas praias brasileiras. Incesto, violência contra os filhos é recorrente em todos os lugares.

Eliminar as crianças em função de uma crise é a metáfora que os Irmãos Grimm, no início do século XIX, registram da grande fome do século XIV na história de Hansel e Gretel (João e Maria). "Está faltando comida. Então, abandone as crianças no mato para morrer." A ideia do amor materno e paterno não existia ainda naquela época. A família romana é uma instituição criada e mantida para garantir herança e prestígio social. Não envolve amor. A aristocracia francesa não identifica casamento com felicidade, como aparece no romance de Choderlos de Laclos, *Ligações perigosas*. Família é uma instituição de herança. A sexualidade e o amor são obtidos com amantes e amigos.

Em parte isso está em Platão também, que não defende a família. Em Aristóteles, um pouco menos. Ele defende a *filia* entre amigos. Qual é o espaço da felicidade platônica? Discussão com amigos, exclusivamente homens, no banquete, discutindo ideias com Sócrates, conversando. O livro fundacional da filosofia ocidental – *O banquete*, de Platão – é uma maneira de falar da importância dos amigos em detrimento da família.

Jesus não diz nada a favor da família, só condena o tempo todo. "Lá fora estão tua mãe e teus irmãos", afirma. "Qualquer um pode ser minha mãe ou meu irmão, basta fazer a vontade do meu pai." Sua mãe diz nas bodas de Caná: "Filho, não tem mais vinho." E ele responde: "O que eu tenho com isso?" Jesus diz que quem não abandonar a família e não rejeitar o pai por amor ao reino de Deus não é digno. Jesus escolhe seus apóstolos em detrimento da família – ainda que haja uma tradição segundo a qual Tiago teria sido irmão de Jesus. Ao fazer isso, está afirmando que a família é um amor privado, enquanto prega o amor universal.

O cristão é aquele que superou o ódio e, quanto mais você me insulta, mais devo amá-lo. Por isso Nietzsche afirma que o último cristão morreu na cruz.

Ou seja, o amor à família é um amor limitante, e o amor ao mundo é um amor cristão. Só muito tempo depois, a Igreja transformou a família numa instituição de amor. E, ao fazer isso, passou a falar mais da mãe do que do filho.

Convém lembrar que São José era rejeitado pela Igreja Católica até o início da Idade Média. Ele passa a ser um santo especial, com duas datas comemorativas no ano, a partir do momento em que a família passa a receber a defesa da Igreja. Deixa de ser o que na Idade Média se chamava *santo cornuto* para ser, na Idade Moderna, o padroeiro da família – é também o pai da boa morte, porque morreu ao lado de Jesus e de Maria, e protetor da primeira Igreja, que foi Jesus e Maria. O crescimento da figura de José mostra a tentativa de deslocar esse amor para a família, que é onde sempre se encontram os maiores ódios.

Talvez nos horrorizemos com tantos episódios em que o pai mata o filho ou o filho encomenda a morte do pai. Essa vontade de matar o filho, especialmente quando o filho tem entre 12 e 16 anos, é universal. Esse é um dos maiores tabus para a sociedade. Que possamos controlar essa vontade universal é uma vitória da cultura, não da natureza humana.

A maldade é tão próxima do ódio quanto a inveja. A inveja amplia nossa dificuldade de aceitar o sucesso alheio. Nós enxergamos o sucesso do outro com muita facilidade – tanta facilidade que passamos a odiá-lo. Temos dificuldade de atribuí-lo à capacidade do outro ou não expressarmos sem inveja.

Como já escrevi num artigo, o drama do desejo da luz alheia é que, em vez de admiração genuína por um talento e até uma cobiça positiva que pode levar a um esforço edificante, a inveja corrói e consome o invejoso. É um ácido lento que pinga da estalactite da mediocridade e vai formando uma dor surda e constante. Em mentes mais patológicas, o sentimento se transforma em ódio contra o objeto. A mediocridade só encontra consciência quando iluminada pelo talento que ela julga superior.

Não podemos subestimar o papel tranquilizador de toda inveja: eu não sou medíocre ou infeliz por causa da minha falta de esforço ou outra explicação que passe pela minha responsabilidade. Sou infeliz porque o outro possui a parte que me caberia. A crença do invejoso é similar à do mercantilista antigo: a riqueza é fixa, se alguém tem mais deve ter tirado da minha parte.

O mundo parece brilhante ao seu redor? Os colegas, amigos e familiares levam vida que você considera superior à sua? Você passa horas percorrendo estradas virtuais na internet para verificar coisas e acompanhar vidas alheias e isso consome sua energia e sua alegria? Provavelmente, você está imitando o fototropismo das mariposas e perdendo o senso de direção.

O sucesso alheio traz luz sobre o meu fracasso. Sentimos uma profunda alegria quando um homem bilionário vai à falência. Tome-se o exemplo do empresário Eike Batista. Ele foi punido, até o momento, pelos seus aparentes crimes, mas também foi punido em essência pelo pior crime que poderia ter cometido entre nós: tornar-se o homem mais rico do Brasil. E um homem que gosta de se exibir. Eike representa o sucesso absoluto sob determinado prisma: carros, mulheres, dinheiro, viagens, negócios e muitas relações com o poder. O sucesso, como ensinou Nelson Rodrigues, é no Brasil uma ofensa pessoal.

Inveja deriva de *invidere*, ver com maus olhos, de maneira hostil, ou olhar muito de perto. Inveja é cegueira. Pior, o olho do invejoso magnifica a luz real ou existente de terceiros e cega sobre as luzes possíveis de si. Em vez de ser feliz na relva, ficamos contemplando, pesarosos, sóis e luas.

Os invejosos são aqueles que não olham para si, mas para o outro. Se o ódio se desloca para alguém, os males que tenho dentro de mim ficam menos explícitos. A inveja provoca ódio que ilumina em mim o meu fracasso. Por isso as metáforas são "olho gordo" e "olho-grande". Olho mais para o outro do que para mim. E se eu puder, atribuo o meu fracasso ao fato de o outro ser desonesto. Assim eu o odeio e explico o seu sucesso e o meu fracasso.

Essa inveja é brutal. É uma forma de transformar o ódio contra mim em ódio contra o outro. Isso explica o ataque ao corpo bom do outro, ao seu sucesso material, à sua inteligência. Abrir mão da dor permanente da comparação e da projeção sobre a luz alheia é um desafio.

Todas as pessoas oferecem essas pistas quando criticam. O que é uma boa crítica a um livro, por exemplo? Eu posso dizer: "Li o seu livro e acho que o argumento que você usa, baseado em tal teoria, não levou em conta tal e tal coisa." Esse é provavelmente um recurso analítico sólido para eu discutir uma ideia que você apresentou ao escrever e publicar um livro. Mas muitas vezes dizemos: "Eu não aguento você estar tão exposto assim à mídia. Não aguento esse sucesso que você tem, acho que é um sucesso falso porque, no fundo, você é um idiota."

Acabei de oferecer, na proposição frase, o motivo do meu ódio. Incomodado com o sucesso alheio, vou procurar os defeitos nas suas obras – e, como toda obra tem seus defeitos, provavelmente os encontrarei e mostrarei minha razão. Mas o defeito à sua obra é o efeito secundário, é a febre da infecção, a minha inveja.

A crítica e o contraditório são fundamentais. Grande parte do avanço em liberdades individuais e nas ciências nasceu do questionamento de paradigmas. Sociedades abertas crescem mais do que sociedades fechadas. Sem oposição, não existe liberdade. Uma crítica bem fundamentada destaca dados que um autor não percebeu. Um juízo ponderado é excelente. Mais de uma vez percebi que um olhar externo via melhor do que eu. Não existe ser humano que não possa ser alvo de questionamento. Horácio garantia, com certa indignação, que até o hábil Homero poderia cochilar. A crítica pode nos despertar.

A inveja nunca é admitida explicitamente. É o único pecado envergonhado, como já pude mostrar em outro livro e em entrevistas. Muitos se orgulham da luxúria. Não negam a ira. Mas continua sendo um pecado capital, vem disfarçada de defesa da ética, do amor ao Brasil, da análise econômica moderna. Os avarentos dizem que são controlados. As pessoas que têm gula afirmam que valorizam a sua vida e gostam de comer. Mas ninguém admite a inveja. Muita gente é alvo da inveja, mas ninguém é invejoso. Esse é um problema importante.

Dessa forma, o ódio contra o sucesso é muito grande. Se eu suponho que alguém assumiu a Presidência da República sem condições, intelectuais ou morais, e mesmo assim chegou ao topo da pirâmide do poder do Brasil, e comparo com o fato de que eu, brilhante, trabalhador e um homem de bem, estou pastando num empreguinho medíocre aqui embaixo, isso se mostra uma capacidade de transferência dessa dor.

Toda crítica é invejosa? Não, de jeito nenhum. Algumas críticas são apenas críticas, especialmente quando elas são desapaixonadas, procuram o melhor daquele objeto da crítica e não são narcísicas. A maioria das críticas começa com a confissão da inveja. "É... agora a Anitta está em todos os canais, mas eu acho que ela não canta bem." Não é a análise da amplitude vocal da Anitta que está na frase, mas o fato de ela estar "em todos os canais".

O ódio é uma das raras expressões humanas de comunicação com o outro, uma tentativa de olhar para o outro dizendo: "Eu sou superior, eu te odeio." Ou: "Você é superior, eu te odeio mais ainda." O brilho quase imperdoável. Nelson Rodrigues dizia: "De gente idiota eu só quero a vaia." Uma boa crítica, repito, busca o aperfeiçoamento de uma ideia quando é desapaixonada. Mas quando a crítica é apaixonada, ela fala mais de mim do que do objeto. Por isso pouca gente recebe bem uma crítica.

Eu sou vítima disso o tempo inteiro, claro. Fere o meu narciso, mas prefiro acreditar que meu amor à verdade é 0,1% maior do que o meu narciso, que é imenso. Mas a maior parte das críticas nada tem a ver com a ideia que exponho em livros, artigos, entrevistas e *posts* publicados nas redes sociais. Tem a ver com a exposição que tenho. Sempre inicia com o reconhecimento da exposição. Só depois surge efetivamente a crítica.

Reconheço minha imperfeição, mas me assusta a virulência das críticas na internet. Há pessoas que querem fazer sucesso a qualquer preço e cimentam a estrada com palavrões. Acreditam que agressões com palavras vulgares e apelidos sejam um grande impacto. Estão corretos: causam impacto, mas vulgaridade é simples concussão.

A GLOBALIZAÇÃO NÃO AUMENTOU O ÓDIO

Se o amor é uma invenção moderna, você pode pensar, caro leitor, cara leitora, que o mundo moderno também aumentou o ódio. Se é verdade que o aumento dos recursos industriais veio acompanhado de um maior número de genocídios – pelo menos mais gente morta em termos numéricos – não creio que consigamos afirmar, categoricamente, que o mundo contemporâneo odeia mais do que o mundo do passado.

Certamente há hoje mais instrumentos de eliminação e controle, todos muito mais sofisticados. Um genocídio há duzentos anos seria muito mais complicado do que um genocídio hoje. Por mais que Napoleão se esforçasse com seus canhões, matar com baionetas e espadas era algo que exigia muito mais tempo e esforço. Não havia uma bomba atômica. Com um clique, o Enola Gay – o bombardeiro B-29 que se tornou o primeiro avião a lançar a bomba atômica sobre a cidade de Hiroshima, no Japão – matou mais gente do que uma sangrenta batalha napoleônica. Tecnicamente, portanto, temos condições de matar muito mais gente hoje.

Da mesma forma, temos condições de controlar muito mais gente mesmo nas democracias. Logo, aumentou a fantasia de controle. É provável que um governo democrático norte-americano saiba mais sobre seus cidadãos do que um governo autoritário como o de Benito Mussolini. É provável que hoje o presidente Michel Temer tenha mais informações sobre nós do que Ernesto Geisel ou Emílio Garrastazu Médici dispuseram durante a ditadura militar instaurada em 1964. Nós mesmos oferecemos essas informações. Elas estão disponíveis na rede.

A tendência contemporânea é que esse crescimento do controle vá existir cada vez mais. Mas hoje o nosso ódio pode matar com maior eficácia. Os fornos de gás permitiram aos nazistas matar, em Auschwitz, mais de um milhão de pessoas em poucos anos. Não havia essa condição técnica para matar um número assim de pessoas no século XVIII. Como afirmou o sociólogo polonês Zygmunt Bauman, o Holocausto é a epítome (e a falência ao mesmo tempo) da modernidade, mas não um desvio dela.

Num conflito terrível como a Guerra dos 30 anos (1618-1648), que provavelmente eliminou ⅓ da população alemã, foi preciso um esforço gigantesco, de passar pela espada, pelo canhão ou pelo arcabuz, fazer árvores de enforcados – uma das cenas mais terríveis da Guerra dos 30 anos. Mesmo assim não conseguiu matar como na Segunda Guerra Mundial.

Quando os nazistas conseguem matar 20 milhões de russos na Segunda Guerra, ou quando os turcos matam 1,5 milhão de armênios durante a Primeira Guerra, podemos constatar uma eficácia de destruição muito maior do que, por exemplo, os choques e os genocídios anteriores. Mas o ódio parece ser muito parecido.

Por mais que Napoleão se esforçasse, matar com baionetas e espadas exigia muito mais tempo e esforço. Tecnicamente temos condições de matar muito mais gente hoje.

Hoje ele é mais registrado. Tudo o que Alexandre fez no Afeganistão, o que não foi pouco, não é registrado, a não ser por alguns cronistas gregos, levados juntos com ele.

Quanto mais recente o massacre, mais é registrado. A morte de cerca de 3.500 pessoas nas Torres Gêmeas causou um impacto maior do que a morte de 1,5 milhão de armênios. O registro é excepcionalmente maior, numa área geopoliticamente mais delicada, que é Nova York, do que o deserto sírio. Quanto mais registrado um massacre, mais ele dá a sensação de ter sido importante. O tsunami que devastou um número infinitamente maior de pessoas na Ásia é menos referido como violência ou morte do que o ataque às Torres Gêmeas, que é de um impacto muito grande por causa do registro e pelo simbolismo. Nós falamos muito das Torres Gêmeas e pouco do Pentágono, porque Nova York é mais simbólica.

Em termos numéricos, vimos genocídios como o Holocausto ou o massacre dos povos na antiga União Soviética e na China. Em termos proporcionais, as mortes do Cambodja, onde se eliminou parcela expressiva da população. Essas expressões radicais de violência não ocorreram nem nas ditas trevas medievais, nem nos períodos da Antiguidade, nem nas guerras antigas. Ocorreram e ocorrem no plano dos Estados nacionais e racionais, que dirigem a violência contra seu outro interior: camponeses na União Soviética, judeus na sociedade alemã nazista, intelectuais na sociedade cambojana.

Sejam quais forem os projetos utópicos de melhoria da sociedade, essa sociedade provoca uma impressionante quantidade de mortes. E todas elas no contexto de mundos modernos, expostos às diferenças.

Tivemos a já mencionada Guerra dos 30 anos no século XVII, exposta à diversidade religiosa; as guerras napoleônicas, como projeto de guerras europeias, entre o fim do século XVIII e o início do século XIX; e as guerras mundiais do século XX. Em cada uma delas, aumentou consideravelmente o número de mortes. Isso é resultado do crescimento da tecnologia, do domínio da violência e do aumento da eleição de um outro ideal, como objeto dessa violência. Matamos muito mais hoje do que os romanos no passado.

Curiosamente, uma sociedade como a romana convivia com a violência institucional – por exemplo, a escravidão ou poder despótico do imperador. Mas é nas sociedades mais democráticas que a violência é ainda maior. Mas essa tendência não é resultado da globalização ou da exposição a mercados e ideias internacionais. A expansão ibérica do século XV, a expansão do continente europeu no século XVI, a expansão da segunda revolução industrial e o imperialismo no século XIX, a expansão pós-Segunda Guerra mundial e a globalização atual, tudo também vem acompanhado de ciclos de violência cada vez mais sistemáticos e institucionais.

A palavra globalização, que tanto usamos hoje, serve para definir diversos momentos da história. Ela já poderia ser usada, por exemplo, para o século XVI, quando a Europa descobre a América e passa a colonizar a África e a Ásia. À medida que vão descobrindo produtos novos vindos da América, como o milho, a batata e o tabaco, e levam produtos como o café e o açúcar, os homens descobrem o outro, e essa relação de alteridade começa também a produzir resistências.

No segundo momento da globalização, com o imperialismo do século XIX, na esteira da revolução industrial, a Europa inventa o racismo. Nesse momento, ocorre a expressão racista, de difusão de preconceitos, curiosamente quando o contato com o índio fica mais sistemático. Os grandes autores racistas, que apresentam o discurso da desigualdade entre as raças, como conde Arthur de Gobineau, amigo de d. Pedro II, surgem no momento de crescimento dos contatos econômicos e culturais.

No terceiro e novo momento da globalização, já com o discurso pós-moderno e com a internet, novamente nos colocamos em contato com pessoas que, mais uma vez, são desinstaladas de seus valores, desde alimentares a sexuais e étnicos. E aumenta a xenofobia.

Em outras palavras, todas as vezes em que somos expostos ao outro, à alteridade, necessariamente há um reforço da identidade, e esse reforço reafirma também aquilo que marca o nosso apego a valores que nós mesmos inventamos. Não é a primeira vez, portanto, que é possível identificar a disseminação do ódio. À medida que somos mais e mais expostos à alteridade, reforçamos a xenofobia, o racismo, o etnocentrismo e um certo darwinismo social – ou seja: estou evoluindo mais do que o meu vizinho, logo estou mais à frente, sou melhor e mais civilizado. Havendo a ideia de que, entre o dia e a noite, há um período de crepúsculo, é nesse período que as sombras assumem formas fantasmagóricas.

Sentimentos negativos, agressivos, racistas, xenofóbicos, homofóbicos e misóginos nunca estiveram latentes. No momento em que estamos mais expostos à alteridade, esses sentimentos aparecem de maneira mais forte. Pressupor, no entanto, que há um ser humano mais racista quando exposto à globalização e à internacionalização significa pensar que o ser humano é naturalmente bom.

Se isso fosse verdadeiro, o homem naturalmente bom deveria morar na sua aldeia para não ter contato com os outros. O ser humano, em todos os seus aspectos, estabelece formas de racismo e ressentimentos em relação àquilo que é diferente dele. Nesse sentido, voltando a autores já tratados anteriormente, sou mais hobbesiano do que rousseauniano. Quando o homem tem chance, exerce essa violência por meio do poder, da comparação cultural e de outras formas de exercício da superioridade. Deixamos à tona uma enormidade de sentimentos agressivos, comparativos racistas e assim por diante.

Sentimentos agressivos, racistas, xenofóbicos, homofóbicos e misóginos nunca estiveram latentes. Quando estamos mais expostos à alteridade, eles aparecem de modo mais forte.

O mundo em geral pressupõe a ideia de um império dominante e um modelo único em nossa cabeça. Nunca me esqueço de que, na década de 1970, estimularam-me a pensar que o futuro estaria nas mãos do Japão. A exposição de Osaka, em 1970, parecia revelar o apogeu da vitória japonesa contra o modelo fordista, que havia dominado a revolução industrial anterior. Muita gente, como o então presidente do México, Carlos Salinas de Gortari, no fim da década de 1980, colocou os filhos em colégio japonês, porque o japonês era a língua do futuro. A partir do governo Sarney, convenceram-me de que o espanhol era a bola da vez. Em tempos de Mercosul, o espanhol era o futuro. E agora me convencem de que o futuro está no mandarim.

Prefiro aguardar uma língua mais fácil, mas o fato de a economia chinesa ter crescido durante mais de trinta anos a patamares acima de 10%, ter retirado da pobreza mais de 400 milhões de pessoas, impedido o nascimento de outros tantos possíveis 400 milhões, graças à política de filho único, esse sucesso impactante chinês não significa que precisamos pensar um modelo bipolar de império, nos moldes da Guerra Fria.

Sem dúvida, o futuro imediato, até 2020, passa por problemas e resoluções que dizem respeito a países como a China, mas nunca tivemos no mundo esse modelo de império como o chinês, que é estruturalmente dependente de outros impérios. Em outras palavras, nada pior para a China do que o declínio do império americano. Nada pior para os Estados Unidos do que o declínio chinês.

A revista inglesa *The Economist* criou a expressão "sinodependência", ou seja, a dependência de um país em relação à economia chinesa. Isso pode ajudar a explicar parte do preconceito contra os chineses. O velho "perigo amarelo" chegou ao Brasil no início do século XX, quando para cá vieram os japoneses (houve imigração chinesa para cá no XIX e, também naqueles tempos, a imagem desse trabalhador era a do *coolie*). Sobre os japoneses se dizia: "Eles são milhões, violentos e trazem doenças." Nos Estados Unidos, o "perigo amarelo" chegou há mais de 150 anos, quando os chineses foram construir as ferrovias. O perigo amarelo, para muitos, é real.

Na primeira vez entre muitas que fui à China, obrigaram-me a tomar vacina contra a febre amarela. Em meu brasiliocentrismo, pensei: querem me proteger contra alguma febre amarela na China. Que nada. Era uma exigência chinesa contra o temor de febre no Brasil, uma proteção deles contra nós. É uma surpresa descobrir que você é o foco infeccioso, e não os chineses.

Lentamente vai-se descobrindo que essas desconfianças são traduzidas em formas suaves ou não. Michel Foucault escreveu que se estabelece um hospício não para tratar os loucos, mas para garantir àqueles que estão fora que são saudáveis. Do mesmo modo, é fundamental que existam governos como o da China para que possamos pensar no nosso como um bom governo. O que seria de nós se não olhássemos para esse hospício de 1,4 bilhão de pessoas?

Essas diferenças sempre servirão de exemplos externos, para que se tente criticar e transformar a realidade interna. No Brasil, precisamos de um esforço gigantesco para dar uma asfaltada numa pista de aeroporto para a Copa do Mundo, anos atrás. Enquanto isso, os chineses construíam aeroportos numa velocidade taylorista. Isso nos permite olhar o Brasil e dizer: precisamos melhorar e muito nossos padrões de eficiência. Por outro lado, também se dirá: na China há escravidão coletiva, trata-se de um país sem liberdades, odioso.

Ao amarmos ou odiarmos outros países, é como se dizia na Idade Média e já usei a imagem aqui: ao apontar o dedo para alguém, há outros três dedos apontados para mim.

No primeiro relato de uma experiência multicultural globalizada, em "Dos canibais", o capítulo XXXI do Livro I dos *Ensaios*,

Montaigne encontra, na França, indígenas antropófagos do Rio de Janeiro do século XVI. E usa aqueles indígenas para defender uma reforma da sociedade francesa. Para ele, os indígenas não entendiam como havia franceses tão satisfeitos e outros tão pobres, e por que um não atacava o outro. Por que faziam guerras uns aos outros por motivos religiosos, quando um guerreiro só deveria ir à luta por causas honradas? Encerra com o famoso trecho: os selvagens não usam calças. Ou seja, como é possível que eles sejam tão sábios e tão equilibrados e possam vir aqui e falar desse absurdo ao rei menino Carlos IX, quando, ao mesmo tempo, não usam calças?

Esse é mais um exemplo de como usamos o outro como forma de criticar a nós mesmos. A memória humana faz muito isso e, quando não é possível, a violência acaba sendo um caminho. A violência não apenas contra o outro, mas contra a mudança, é algo muito comum nas grandes cidades brasileiras. A elite portuguesa de São Paulo olhou para imigração italiana como "carcamanos". Essa elite italiana olhou para a chegada dos japoneses e judeus e viu aquilo como absurdo. A elite judaica olhou a chegada dos coreanos com uma desconfiança atroz. Os coreanos olharam para a chegada dos bolivianos como simples mão de obra barata.

Em síntese, o contato com o outro mostra muito a nossa incapacidade de viver com a diversidade e de achar um fundamento de identidade na violência e na explosão.

O caso chinês carrega ao mesmo tempo o estigma do sucesso, a ameaça numérica do contingente superlativo de pessoas e – o que talvez seja o mais complicado – as diferenças étnicas. Há uma marcante diferença dos traços fisionômicos orientais, o que dá um ingrediente mais exclusivo nesse potencial de incômodo.

Se um extraterrestre olhasse o planeta Terra, descobriria espantado que, entre o Paquistão e a Indonésia e do Japão ao Vietnã, encontram-se mais de 70% da espécie humana. Sete entre cada dez pessoas no mundo vivem no sul e no sudeste da Ásia. Se somarmos Indonésia, Japão, Índia, China, Paquistão e Bangladesh, há aí 1,4 bilhão de pessoas a mais do que em toda a África, que tem 1,4 bilhão de habitantes. China e Índia, sozinhas, somam mais de 2,6 bilhões de pessoas, num planeta de 7 bilhões. Portanto, a presença oriental já é dominante há muito tempo. É apenas por eurocentrismo que se imagina que essa presença oriental vai descaracterizar a cultura.

Adaptando Marshall Sahlins, no seu livro *Esperando Foucault, ainda*, em Nova York há 1 milhão de restaurantes estrangeiros, mas ninguém imagina que Nova York vai perder sua identidade. Porém, ao encontrar McDonald's no interior da Sicília, todos imaginam imediatamente que aquilo destruirá a identidade siciliana.

O reconhecimento indireto de um certo fracasso e a conclusão de que os chineses são mais eficientes ou mais numerosos – Juca Chaves dizia na década de 1970 que os orientais são numerosos porque comem com dois pauzinhos – levam a uma certa explicação científica: eles têm diferenças físicas profundas. Pensar nas diferenças chinesas pressupõe que temos uma unidade fenotípica que nenhum outro país tem, o que não é verdade nem de longe, pois nossa diversidade inclui orientais, negros, indígenas, morenos, loiros.

A unidade parece ameaçada pela invasão do outro. A Europa incapaz de gerar filhos reclama que os imigrantes árabes têm muitos. A Europa incapaz de ser religiosa tem medo da religião islâmica. É como uma criança que não brinca com o brinquedo e não deixa que o outro brinque, por inveja. Ou seja, há um sentimento implícito de inveja da ordem e do crescimento. Esse sentimento é traduzido muito mais no defeito do outro do que no reconhecimento de que o que me incomoda é o meu fracasso, e não o sucesso alheio.

O contato com o outro mostra muito a nossa incapacidade de viver com a diversidade e de achar um fundamento de identidade na violência e na explosão.

A Alemanha teve uma experiência radical de intolerância depois da Segunda Guerra Mundial. Especialmente a partir do fim da Alemanha Ocidental, ela se dedicou a uma profunda educação para a diversidade, o que não impediu que na ultracosmopolita Berlim dos anos 1970, dependente da mão de obra turca na construção civil, casos de xenofobia explodissem.

Esse tema se transformou em livro, *Cabeça de turco*, escrito por um jornalista alemão, Günter Wallraff. Em outro livro, *Meu inimigo sou eu*, de Yoram Binur, um israelense se passa por um palestino, trabalhando num bufê em Israel, expondo um quadro de medo e desconfiança. Marc Boulet encarna um dalit na Índia, um intocável, para sentir o que seria ser o mais desprezado de todos os desprezados. O resultado é o livro *Na pele de um Dalit*.

Essas experiências demonstram que ódios internos, contra imigrantes, ou a convivência de povos historicamente vizinhos, mas com problemas, como palestinos e israelenses, são sempre problemáticos. Nós só não temos raiva de quem fracassa, ou de quem é pequeno e não nos incomoda. Ninguém tem ódio de Bangladesh, mas contra os chineses, sim. No Brasil, a federação que mais reivindica a identidade local, o Rio Grande do Sul, é a mesma que provoca a maior piada no território nacional. Mas não há uma única piada sobre Roraima, resultado do fato de que não há identidade visível aos de fora desse estado. Todas as vezes que marco a identidade de maneira forte, provoco esse tipo de reação. Um país de identidade fraca e quatro línguas, como a Suíça, é capaz de passar uma medida proibindo a construção de mesquitas em seu território. Ou seja, pode haver centro de estudos de OVNIs, mas não se pode construir mesquitas. A única explicação para isso é a xenofobia pura, baseada no mais declarado racismo.

Não sou particularmente pessimista. Mas, como muitos, acho que o otimista é um sujeito mal informado. Pensar a globalização como um eixo de transmissão do ódio é pensar de maneira otimista. Não havendo a globalização, não haveria essa identificação do ódio. No fundo, a globalização apenas coloca em contato os ódios estruturais que já existem. Se não tivéssemos que olhar os chineses, continuaríamos a ter ódio da Argentina. Se não pudéssemos sentir ódio dos argentinos, sentiríamos ódio dos cariocas, e os gaúchos odiariam os outros 26 estados da federação. De Bangu, eu odiaria Botafogo. Em Botafogo, eu odiaria aqueles que têm vista para o Aterro.

A diferença da globalização é que ela permite uma comunicação, e essa comunicação cria um sentido de ódio que faz crer que é muito maior do que era no passado. Caso contrário, teríamos de pressupor que, antes da globalização, entre os séculos XI e XIII, quando a Europa não tinha nenhum contato internacional, não ocorreria uma experiência como as Cruzadas.

A destruição de Jerusalém ocorreu num período em que não havia internet, ninguém lia uma obra racista e não se trocavam produtos no mercado internacional. A morte de crianças e mulheres em Jerusalém, naquela época, era muito similar ao que recentemente fizeram soldados americanos no Afeganistão. Pressupor que o soldado norte-americano atual é resultado da globalização e o cruzado dirigido por Godofredo de Bouillon é fruto de uma outra época significa exibir uma versão otimista do ser humano e da vida.

O ódio não é igual em todos os lugares, mas continua sendo muito forte. Pequenos e grandes males estão presentes em nós desde sempre. A globalização apenas capilarizou o conhecimento, fez com que bobagens alcançassem escala global e diluiu a autoridade internacional, de tal modo que tudo passou a ter o mesmo patamar. Fizemos mudanças profundas em nossos valores. Mas, comparando com séculos atrás, nossa expressão de ódio não mudou muito.

A INTERNET FACILITA A VIDA DE QUEM ODEIA

Se a globalização fez com que bobagens alcançassem escala global, a internet maximizou a expressão de ódio, de intolerância, de exacerbação de preconceitos e da violência da linguagem. Mas a internet não cria o sentimento de ódio, talvez apenas torne mais evidente aquilo que só se daria no campo do relacionamento pessoal.

Em determinado momento da sua carreira, Nelson Rodrigues escreveu que antigamente os idiotas se achavam isolados. Eles viviam lá em seus grupos e, de repente, passaram a perceber que não estavam tão isolados. Constataram a coisa mais importante: eram maioria. O mundo pertence aos idiotas, sempre pertenceu. Um racista é sempre um idiota. Um misógino é um idiota que tem medo.

Quando Umberto Eco disse que a internet deu acesso e posse aos idiotas, várias pessoas ficaram irritadas porque, no fundo, se reconhecem como idiotas. Mas há cem anos, se eu fosse um racista, precisaria expressar meu racismo num livro. Para publicar um livro, eu teria de escrevê-lo durante meses. Depois teria de revisá-lo, achar um editor e vendê-lo. Dava muito trabalho. Hoje eu faço um *post*, e com um *enter*, atinjo mais gente do que um livro clássico atingiria.

A internet não produziu os idiotas, mas os idiotas puderam constituir um bloco expressivo com a internet. Eles entenderam que o seu medo não era só deles, e que sua ideia equivocada sobre as mulheres, sobres os judeus ou sobre os gays era compartilhada por mais pessoas. Isso lhes deu uma segurança.

A linguagem na internet tem uma outra vantagem muito importante: se antes eu dissesse a um amigo, que nasceu no Ceará, que sou contra cearenses e os acho inferiores, o meu risco era apanhar. Se o amigo cearense fosse maior do que eu, ele me bateria. Havia uma prudência dada por Newton – massa maior *versus* massa menor. Hoje, pela internet, posso entrar na sua página do Facebook e dizer que todo cearense é vagabundo. E estarei protegido por um perfil chamado Wolverine36. O cearense precisará recorrer a um procedimento muito mais complexo, que envolve exame de IP para identificar o computador de onde saiu essa mensagem, precisará ainda pagar um advogado e procurar uma polícia especializada para chegar ao autor da ofensa. E, no fim das contas, ainda poderei explicar: "Meu computador foi possuído por um gato, que andou pelo teclado, e ao pisar no teclado digitou essas coisas."

A internet não criou os idiotas, mas o ataque anônimo nas redes, sem o custo do ataque pessoal, deu ao ódio do covarde uma energia muito grande. Deu-lhe a proteção da distância física e do anonimato. O pior do ódio social, que é universal, agora pode ser dirigido sem custos. Numa comunidade, as relações são pessoais. Na rede, deletérias.

Em 1506, em Lisboa, durante uma cerimônia religiosa, um raio de luz entrou na igreja e iluminou o ostensório. A população de

Lisboa olhou para aquela luz no cristal do ostensório, que girava e iluminava tudo, maravilhada por um milagre. Um católico de origem cristã nova disse: "Não é um milagre, é que entrou um raio da janela e refletiu." Ele foi morto e despedaçado ali, e começou o grande massacre de Lisboa de judeus de 1506. Não havia internet, redes sociais, jornais. A imprensa chegara a Lisboa havia poucos anos, e a maioria esmagadora das pessoas sequer a conhecia. E, não obstante o medo de que os judeus controlariam Lisboa, vindos da Espanha, aquilo se transformou numa histeria nacional, a tal ponto que o rei de Portugal instituiria depois uma investigação para saber quem havia começado a violência.

É errado, portanto, dizer que a internet transformou as pessoas em odiosas. Mas é fato que ela gera mais tranquilidade no exercício desse ódio. O *enter* é tão destruidor quanto qualquer outra coisa. Antes da internet, matar dava trabalho. Agora, incito o ódio com um clique.

Junte a proteção do anonimato e da distância, o senso de identidade do ódio e acrescente um terceiro elemento importante: posso a todo instante dialogar com todos. Isso me empodera. Imagine se no passado alguém teria acesso ao universo de pessoas em todo o mundo que temos hoje? Hoje, com um simples *post*, posso enlamear, e isso também diz respeito à chamada "pós-verdade". Não preciso ter mais compromisso, algo diferente da mentira. A mentira é usada por alguém que tem noção da verdade. Quando minto, falto com a verdade. A "pós-verdade" é quando não considero isso relevante. Não importa saber se é verdade. O que importa é a sua eficácia.

É a *Realpolitik* no seu grau extremo. Não se trata mais da consciência maquiavélica, de que o príncipe deve parecer revelar piedade. Maquiavel ainda tinha compromisso com a

A internet não criou os idiotas, mas o ataque anônimo nas redes deu ao ódio do covarde uma energia muito grande. Deu-lhe a proteção da distância física e do anonimato.

verdade. Ele afirma: "Pareça, não importa que você seja." Ao dizer isso, está definindo que o príncipe deve ter consciência de que precisa mentir. Hoje, não. As pessoas divulgam um *post* totalmente fantasioso e isso canaliza o seu ódio. Repassam mensagens com informações falsas no seu WhatsApp. Essa informação falsa e repetida sucessivas vezes concentra tanto ódio que aqueles que se opõem é que obviamente são considerados mentirosos.

Talvez o conceito de "pós-verdade" esteja insinuado na obra de George Orwell, *1984*, quando Winston, que trabalha no Ministério da Verdade e é o encarregado da mentira, precisa anunciar que a ração de chocolate será reduzida. Mas se ele disser isso, será muito ruim, então tem de criar uma memória: a ração antes era mais baixa e agora vai passar para tal número. Como não há contestação, as pessoas ficarão felizes de que houve aumento da ração de chocolate – e assim foi dito dessa forma.

Há gente paga para espalhar informações falsas. Escritórios cuja função é criar perfis falsos para divulgar ideias. Em outros casos é simplesmente alguém que divulga informações falsas sem essa consciência, sem instrumentalização para atingir alguém, mas apenas para reforçar, psicanaliticamente, sua própria convicção. A notícia é válida porque ataca um grupo de que eu não gosto. Ou inválida porque ataca um grupo de que eu gosto. Por isso volto novamente a Freud: é muito mais o volitivo desejo passional do que o analítico, ou o instrumental, ou o racional.

Ao mesmo tempo, temos imensa dificuldade de admitir isso, da mesma forma que evitamos falar do ódio e sentimos horror a coisas violentas. Tácito, na Roma clássica, dizia que os homens se apressam mais a retribuir um dano do que retribuir um benefício. A gratidão é um peso, a vingança é um prazer. Na nossa hipocrisia contemporânea, devemos ser felizes a qualquer custo, enquanto sentimos rejeição à tristeza e à melancolia.

Eis por que Hamlet é o anti-Facebook. Primeiro porque a celebridade não importa para ele. Está tão fechado sobre si e sua reflexão que não importa a ele ser rei da Dinamarca. O tio e padrasto, Cláudio, vai morrer, e Hamlet é o herdeiro. Pode até ajudar o tio a morrer com algum recurso menos escandaloso, mas não está interessado na carreira.

Hamlet é o anti-Facebook por uma segunda razão: é melancólico, se veste de preto e anuncia que essa cor traduz seu estado da alma. Não tem necessidade de demonstrar a felicidade a que somos obrigados a demonstrar nas redes sociais. Não importa que o mundo o considere louco. A aparência que o mundo vê nele não lhe parece relevante. Ele vai em busca desse lado sombrio. Segue o fantasma quando este o convida para acompanhá-lo. "Irei ainda que eu enlouqueça, ainda que me leve", diz ele. Ou seja, encara a dimensão trágica da existência.

O problema do Facebook, como de qualquer rede social, é que ele fez as pessoas se tornarem obrigatoriamente épicas, bonitas e com vidas interessantes. Ao contrário de épocas remotas, hoje dói ser alguém comum ou levar uma vida opaca. Surgiu uma novidade: todos somos especiais e, por consequência, universalizamos a aspiração pela existência exuberante e plena. A dimensão trágica da existência e os limites de tudo parecem um acidente evitável. Deixamos de ver, portanto, a dimensão trágica da existência.

Cada um de nós vê uma luz intensa na noite escura da nossa consciência. São biografias que, de longe, se mostram melhores, mais interessantes, desafiadoras e repletas de prazer. Elas estão no Facebook, no YouTube, no Instagram, nas revistas, nas narrativas dos amigos e na televisão. Essa luz alheia ilumina nossa mediocridade.

Avaliamos o resultado visível, raramente o custo dele. Por isso ficamos ofuscados e atraídos, feridos narcisicamente e hipnotizados.

E assim esquecemos uma premissa fundamental: tenho de aceitar que a felicidade só existe em diálogo com a infelicidade e que a percepção dela só existe em função da sua falta. Hoje, eu, Leandro, sou feliz porque me lembro de já ter sido infeliz. Se eu não tivesse essa percepção da minha infelicidade passada, não teria consciência da felicidade presente.

O caráter fugaz da felicidade é o que torna a flor natural melhor que a de plástico, porque morre. É o que torna o orgasmo superior ao não orgasmo, porque é passageiro. Se durasse muito tempo ninguém o buscaria. Ninguém jamais olhou no relógio: "Esse orgasmo não passa..." Se não passasse, a pessoa que o sente deixaria de ser feliz. Deixa feliz porque é breve. Na efemeridade da aurora boreal, da flor natural e da vida humana está uma das chaves da felicidade.

A perenidade torna os vampiros melancólicos e os deuses ligeiramente chatos, porque é muito difícil ser eterno. Fica tudo muito enfadonho. Não oferece medo que dê dimensão de perda. O medo é sempre indicativo de amor. Temo, tenho angústia porque meu filho não volta à casa, eu o amo. Tenho medo de envelhecer porque amo a juventude. Tenho medo de perder os bens porque gosto do que tenho. Quando se perde o medo, que é próprio dos deuses, perde-se também a dimensão do amor e do que faz falta. Por isso os deuses são também um pouco melancólicos.

O abismo é fundamental porque ele dá a dimensão de que na borda, no momento anterior à queda, está o momento de felicidade. Freud descreveu isso nos dois textos sobre a pulsão de morte – o primeiro, de 1916, em plena Primeira Guerra Mundial, o outro na década de 1920. A pulsão de morte é uma dimensão constitutiva da espécie humana.

O problema do Facebook é que ele fez as pessoas se tornarem obrigatoriamente épicas, bonitas e com vidas interessantes. Hoje dói ser alguém comum ou levar uma vida opaca.

Tendo analisado negativamente o Facebook, mostrando a natureza do Hamlet como o anti-Facebook, as pessoas me cobram por que vivo postando coisas. Primeiro, é óbvio que não sou Hamlet. Já fui, mas deixei de ser. A coerência é uma boa cobrança, mas ela é cobrada do outro por motivos errados.

O fato de Polônio ser um homem sem caráter não o impede de dar ao filho Laertes oito conselhos, os mais sábios que a espécie humana já pensou. Pois Polônio, o homem vazio, o homem da retórica, o homem que ninguém suportava com seu jeito empolado, deu os conselhos mais sábios para a felicidade. São eles:

1. Não expressar tudo o que se pensa.

2. Ser amistoso, mas nunca ser vulgar.

3. Valorizar amigos testados, mas não oferecer amizade a cada um que aparecer na sua frente.

4. Evitar qualquer briga, mas se for obrigado a entrar numa, que seus inimigos o temam.

5. Ouvir a todos, mas falar com poucos.

6. Usar roupas de acordo com a sua renda, sem nunca ser extravagante.

7. Não emprestar dinheiro a amigos, para não perder amigos e dinheiro.

8. Por fim, ser fiel a ti mesmo, e jamais ser falso com ninguém.

Os conselhos mais sábios são enunciados pelo homem mais estúpido da peça. Seus conselhos são geniais, mas ele é um idiota. É um áulico, um homem da Corte. Mas a Ofélia, sua filha, ao se despedir do irmão que vai para Paris estudar, diz: "Não seja como aqueles pregadores que falam abertamente do que devem fazer, mas não seguem a sua vida." Ofélia está ali denunciando o farisaísmo moral, já que ele diz coisas que provavelmente não segue. Ou seja, ouçam seus conselhos mas não sigam sua prática.

Portanto, conselhos podem ser sábios, mesmo na boca de um idiota. Coerência é uma virtude, mas um endocrinologista gordo pode lhe dizer que você precisa emagrecer. A frase dele continuará sendo válida. Um pneumologista que fuma pode dizer que o cigarro é terrível. É provável que a melhor moral esteja na boca das prostitutas porque elas sabem o custo da infração moral. As virgens têm menos acuidade moral do que as que não o são. Se você quer saber os riscos do crack, não pergunte a uma carmelita, e sim a um drogado.

Às vezes a pessoa incoerente também tem essa sabedoria, inclusive para dizer certas coisas com mais clareza. Numa conversa com dois amigos, um deles pediu ao outro um conselho sobre o casamento, pois pensava em se separar. O conselheiro respondeu: "Eu não sou a pessoa ideal porque já me separei." Comentei então na conversa: "É o contrário. Por ter se separado, você pode ter uma visão que outros não podem ter."

A violência da política

Desde a última eleição presidencial, em 2014, passando pelo processo de impeachment da então presidente Dilma Rousseff até as crises do governo Michel Temer, somos invadidos, via internet, por textos duros, ataques de lado a lado, análises corrosivas, escárnio e agressão verbal. O Brasil descobriu-se raivoso na política, exibindo uma inquietante carga de ódio que fluiu pela rede.

Nós tivemos alguns momentos de polarização política exacerbada em diferentes períodos da história recente do Brasil. Primeiro, quando a Ação Integralista Brasileira (AIB) e a Aliança Nacional Libertadora (ANL) eram os inimigos radicais – de um lado os integralistas, liderados por Plínio Salgado; de outro os comunistas liderados por Luís Carlos Prestes. Em 1935, a Intentona Comunista tenta dar um golpe no governo de Getúlio Vargas. Em 1938, a Integralista tenta fazer o mesmo. Ambas mostram o país dividido entre duas soluções antípodas.

A polarização extremada volta a ocorrer nos anos imediatamente anteriores ao golpe de 1964, especialmente no período de 1962 e 1964: após a renúncia de Jânio Quadros, em 25 de agosto de 1961, durante o governo do nosso parlamentarismo em 1962, antes do período do governo de Tancredo Neves como primeiro-ministro e Jango como presidente, e vai crescendo em 1963, ao ponto de que cada ação corresponde a uma reação.

Um pouco antes, Getúlio e Carlos Lacerda protagonizaram embates também históricos, embora como um fenômeno muito carioca, muito urbano e menos nacional – um embate ligado às empresas de comunicação de Samuel Wainer e às empresas de comunicação de Carlos Lacerda, e um pouco mais à parte a grande empresa de comunicação de Assis Chateaubriand, os Diários Associados. O suicídio de Vargas adiou por dez anos um golpe que se avizinhava e que retornaria naquele período que vai entre o suicídio de Vargas e a ascensão de Café Filho, em 1954. Quando Café Filho foi afastado por um problema de saúde, o então presidente da Câmara dos Deputados, Carlos Luz, assumiu interinamente e tentou um golpe de Estado para não entregar o poder ao presidente eleito, Juscelino Kubitschek. E, para lembrar um episódio muito mais grave do que a violência política de hoje, o navio em que viajava, o *Cruzador Tamandaré*, foi bombardeado pelo general Henrique Lott na saída do Rio, até chegar a Santos, onde ele pretendia se juntar a Jânio Quadros.

O fato de termos vários presidentes da República no prazo de algumas semanas mostra a instabilidade política daquele momento, uma passionalidade polarizada, cuja intensidade foi reduzida durante a prosperidade "endividadora" do governo JK, voltando a crescer após a renúncia de Jânio Quadros. Aí encontramos a polarização nacional que talvez tivesse faltado em agosto de 1954: o comício da sexta-feira 13 na Central do Brasil, no Rio, em março de 1964, sucedido pelo comício da Marcha com Deus pela Família, em 19 do mesmo mês, até o golpe vitorioso daquele ano.

A partir daquele momento, houve uma regra ressuscitada na Era Dilma: "Não apenas me oponho a você, mas você é o obstáculo para o progresso brasileiro." Ou: "O Brasil seria um bom lugar se você não existisse." Daí cresce o ódio diante das mazelas políticas, porque interpreto que tudo de ruim que ocorre no Brasil nasce do outro.

Em determinado momento do processo de impeachment de Dilma, eu disse nas redes sociais e em palestras que eu seria a pessoa mais feliz do momento se acreditasse que a corrupção no Brasil estivesse ligada a uma pessoa ou a um partido. Algo tão óbvio que poderia ser considerado uma platitude. No entanto, fui atacado por centenas de pessoas, acusando-me de ser pró-governo Dilma e um petista.

Caiu o governo do PT, subiu o grupo oposto, e as denúncias de corrupção continuaram. É evidente que a corrupção não terminou com o impeachment. Apesar de todos os governos terem casos de corrupção – Fernando Henrique Cardoso, Luiz Inácio Lula da Silva, Dilma Rousseff e Michel Temer – eu estava dizendo que atos corruptos, denúncias e escândalos não se restringiam a um partido, ainda que eventualmente um ou outro partido se destacassem naquele momento. Mas a corrupção é institucional e endêmica. Portanto, não seria a solução a queda de uma pessoa para resolver o problema da corrupção.

Hoje eu gostaria de entrevistar aquelas pessoas que me acusaram de ser pró-governo e perguntar: "Você viu que eu tinha razão? Que a corrupção não estava concentrada num partido?"

Provavelmente, porém, essa pessoa responderia que "não", que eu continuo trabalhando para aquele partido por dizer algo do gênero. Afinal, não há racionalidade nessa polarização. A discussão política no Brasil de hoje tem o patamar da irrelevância para quem espera uma discussão política verdadeira.

Debater sua posição partidária ou ideológica é como se eu fosse um corintiano discutindo com um palmeirense, e passássemos a tarde dizendo por que meu time é melhor. Quem já ouviu falar de algum corintiano ou palmeirense que, após ouvir a exposição apaixonada do outro, dissesse: "É verdade, eu nunca tinha me dado conta desse ponto de vista. Vou mudar de time..."

É tão idiota e violenta a discussão política que não se pode classificar de discussão política. É apenas a disputa de um espaço de narciso para a base. O que se discute em Brasília não é se seu golpe é melhor do que o meu golpe. Claro que meu golpe é sempre mais bonito do que o seu, mas é de que, legitimando o meu golpe contra o seu golpe, eu tenho espaço de poder. E o que se discute na rede social não é o golpe ou não golpe, mas é se eu sou mais inteligente que você, se eu sou melhor que você e se você é o idiota. Esse ódio "psicologizante" da base e esse ódio "politizante" do topo, relacionados a poder e subjetividade individual, é um jogo de cartas marcadas com o qual ocorre o debate político.

O problema da polarização é que ela não pensa. A polarização adjetiva. No momento que eu digo que você é petralha ou coxinha, deixo de pensá-lo como um ser humano dialético, contraditório, orgânico, em evolução, e paro de discutir as suas ideias e apenas o rotulo. A polarização é burra. Mas ela vem acompanhada de uma coisa ainda pior, que é a vontade de eliminar o oponente. Ou seja, nem lhe escuto. Nem quero saber o que você tem a dizer.

O problema da polarização é que ela não pensa. Quando digo que você é petralha ou coxinha, paro de discutir as suas ideias e apenas o rotulo. A polarização é burra.

No Brasil não ocorre debate político, e sim troca de insultos, palavrão, incapacidade de ouvir qualquer outra questão. Ninguém ouve ninguém nesse momento. Por isso é possível supor que todo ódio político brasileiro, que começou nessa fase e não terminou, possa ser visto como uma cortina de fumaça contra algo maior. Enquanto as pessoas se matam, eu sigo com meu esquema. Não sei qual é esse esquema na teoria conspiratória, mas é uma cortina de fumaça. Ou seja, discutam o que é secundário.

Até onde vai a política com essa característica? Ou sempre a política foi dotada desse artifício de criação de um inimigo, às vezes real, às vezes imaginário, como forma de fortalecimento do seu poder? A outra pergunta é: até onde é a simples adoção de estratégia política, nos moldes sugeridos por Maquiavel, ou uma nova forma de fazer política, usando artifícios imaginários? Política é, historicamente, um exercício de poder para beneficiar ou favorecer um grupo. E para impedir seu adversário de alcançar esse poder. Historicamente a política é a administração real do poder e dos benefícios que ele possa trazer.

Se você considerar o salário de presidente da República, ou de governador de São Paulo, verá que são irrisórios, comparado com o fato de que, se esse é o grande benefício, nenhum candidato apareceria. O salário da Presidência da República ou de um governador de estado é muito baixo, considerando a relevância dos cargos. Portanto, a política é um exercício de distribuição e controle do poder. Para isso, impôs-se, há algum tempo, a necessidade de elaborar o discurso do bem coletivo. "Eu quero me candidatar para fazer o bem para o Brasil." Não significa que alguns políticos não pensem dessa forma. Acredito que alguns políticos possam pensar no bem comum, no interesse público e nos benefícios públicos, mas mesmo esses estão inseridos num jogo maior. Esse benefício é uma face importante de um jogo de poder.

Hoje temos dificuldade de achar, no Brasil, candidatos que consigam disfarçar seu passado, sua ficha corrida e seus interesses privados. Temos dificuldade de encontrar alguém que pareça interessado no coletivo e não apenas em si e no seu projeto de partido. Não estamos encontrando. Certas denúncias de hoje, que provocam extremo desgaste a políticos, no passado eram irrelevantes, como a nomeação de filhos para o gabinete. O nepotismo era uma instituição aceita informalmente. Hoje não mais. Esses desgastes atuais estão maiores porque o rei está nu.

O lado bom da crise brasileira é que, de fato, trouxe à tona a política como exercício de poder. Sabemos que nenhum dos lados envolvidos no debate está lá pelo benefício de todos, mas pelo benefício de seu interesse. Estamos clamando que a política seja o que nunca foi, um exercício administrativo do bem. Que a política deixe de ser cordial e passe a ser mais técnica. Que o administrador político seja menos ideológico, e que a sua ideologia seja a ideologia do coletivo. Que políticos não representem interesse muito imediato, partidário, familiar ou de grupo. Que deixe essa carga de subjetividade e entre numa carga de objetividade. Então, em parte, todo esse debate é sobre uma tentativa de criar o que não existe: que é a política coletiva, do bem comum, administradora da maioria, um projeto de Estado, e não um projeto de governo. Esse é um desejo coletivo neste momento.

Se aparecer alguém que vagamente tenha o *physique du rôle* para encarnar esse papel será uma espécie de Jânio Quadros revivido. Jânio foi eleito em outubro de 1960 depois de empolgar a população prometendo acabar com a corrupção, equilibrar as finanças públicas e reduzir a inflação, enquanto sua campanha entoava o slogan "varre, varre, varre vassourinha, varre, varre a bandalheira". Alguém que pareça honesto, como a mulher de César, que não pareça imerso numa vontade subjetiva de favorecer um grupo. Que pareça eficaz e com chance de comunicação. Se isso ocorrer, essa pessoa vai se transformar num deus.

É preciso, porém, pensar um pouco mais sobre esse atual momento de polarização e o que ela nos diz sobre esquerda e direita, elite e trabalhadores, entre grupos com identidades mais fortes. Antes de tudo, é preciso pensar se as identidades são, de fato, fortes. Tenho certeza de que hoje, em vários sentidos, Lula é tão elite quanto Aécio Neves. Isso vale para suas condições de moradia, a vivência sem ser um assalariado regular, as experiências internacionais, os hábitos. Não vejo diferença entre identidade de elite de Lula e Aécio, ou entre Temer e Lula. Pode haver diferenças de gostos, mas não de capacidade para realizar seus gostos pessoais.

Hoje há dois sinais inteiramente novos que não existiam em 1964, e certamente não existiam em 1935: o primeiro é que as redes sociais empoderaram pessoas, que passaram a se achar agentes políticos. Hoje o discurso de politização é maior do que há cem anos. Mais gente discute política. Mais gente, de fato, pensa politicamente e expressa a sua opinião. As redes sociais são um fato novo. Tudo é divulgado, incluindo, como já analisamos aqui, coisas verdadeiras e coisas falsas. Muita gente dá opinião, e essa opinião é imediata e forte.

O segundo dado, que não é levado em conta, é que os governos Fernando Henrique e Lula – de inflação sob controle, estabilidade financeira dada pelo Plano Real, mais planos de distribuição de renda, mais emprego e prosperidade – propiciaram a um vastíssimo setor da sociedade brasileira o acesso a bens maiores, viagens de avião, a revolução do frango, a revolução do iogurte, o acesso a cruzeiros, entre outros ganhos.

O lado bom da crise brasileira é que, de fato, trouxe à tona a política como exercício de poder. Sabemos que nenhum dos lados envolvidos está lá pelo benefício de todos.

As classes C, D e E tiveram o matemático e insofismado aumento do poder de consumo. Agora a crise está convidando esses grupos a voltarem à situação anterior, e isso lhes parece obviamente insuportável. Portanto, a diferença de hoje não é apenas que há ricos e pobres, pois isso sempre houve. Não se trata de uma diferença de soluções, entre as quais uma solução capitalista liberal para deixar o indivíduo explorar suas capacidades sem interferência do Estado, e outra solução socialista, pregando a revolução para quebrar o domínio dos meios de produção.

O problema é que há dezenas de milhões de pessoas sentindo uma proletarização que produzirá uma volta à sua situação anterior. Os policiais, que historicamente sempre ganharam mal, agora entram em motim porque não consideram mais plausível ganhar mal. Os professores, que sempre ganharam mal e reclamam disso desde o período colonial, agora não admitem mais simplesmente receber um salário tão baixo e ver diminuída sua importância social. São pessoas que integram um grupo que não deseja trocar o aeroporto de Congonhas pela rodoviária do Tietê. Ou de pessoas que precisam atribuir sua proletarização a uma força distinta.

Vamos supor o seguinte: até dez anos atrás, quem trabalhava na Petrobras poderia receber um 14º ou um 15º salários. Hoje os mesmos profissionais não têm mais tanta certeza sequer se receberão o 12º salário. Então precisam achar um culpado claro. A rede social e a estabilidade econômica vão produzir um ódio enorme. O problema não é eu ter voado sistematicamente de classe econômica e agora ter direito à executiva ou à primeira classe. O problema é eu ter chegado à executiva e à primeira classe e agora me dar conta de que precisarei voltar à econômica.

Há um componente racional da crise, e a crise nos tornou mais éticos, por exemplo. Porque no início da Era FHC, surgiram os imensos escândalos das privatizações, que as pessoas esquecem. Da mesma forma como hoje, surgiam os indícios de que tinha dinheiro para o político, o empresário e ainda para ascensão social. A festa era paga para o honesto e o desonesto. Na Era Lula, continuou. Agora que não há mais dinheiro, nem para o empresário, nem para o corrupto, nem para o trabalhador, eu preciso achar alguém para culpar. A disputa fica mais feroz.

Não éramos tão zelosos da ética pública quando houve o escândalo da Coroa Brastel, da poupança Delfim ou das polonetas do regime militar. Até porque não podíamos ser, não sobrevivia quem fosse. Não éramos tão zelosos da ética pública quando pessoas tradicionais de São Paulo roubavam, como por exemplo Ademar de Barros, que tem a fama de ser corrupto, mas produtivo. Fama herdada pelo ex-governador Paulo Maluf. Mas esses episódios e personagens não causavam tanto ódio. É muito curioso. Existem antimalufistas, mas a rede social não é dominada pelo ódio contra os malufistas, ou contra os "ademaristas". Pelo contrário.

A partir do momento que um grupo novo passa a ser culpado pela corrupção – com ou sem razão – e junto vem a crise, a questão incomoda. O moralismo de classe média tem essa base terrível: ser parte resistência social, parte resistência à mudança do padrão do corrupto brasileiro. É um mistério para mim que alguns governantes, com casos comprovados de corrupção, julgados, não tenham contra si a mesma carga de ódio destinada a outros igualmente acusados, mas sem comprovação ou julgamento.

Retomando um ponto que já abordei, todo ódio tem um traço do nosso narciso infantil. O mundo deve concordar conosco e, quando discorda, ele está errado. A democracia é boa sempre que consagra meu candidato e minha visão de mundo, mas é ruim, deformada ou manipulada quando diz o contrário. Acredito num dado informado por um instituto de pesquisa de opinião, mas o considero comprado quando diz o contrário.

Quando digo que não há país no mundo que tenha uma sociedade ética e um governo corrupto, em vez de você me mandar um e-mail dizendo que sou um idiota ou um "petralha", mande-me os exemplos dos países onde isso existe. Pesquise os quase duzentos países reconhecidos pela ONU e me envie o exemplo descoberto para que eu possa mudar de ideia. Quando você apenas me classifica e me adjetiva, não só não interrompe o fluxo de ódio como entra num campo de não discussão, imposição e adjetivação.

Não à toa as pessoas dizem hoje: "Não leio fulano porque é um coxinha"; "Não leio fulano porque é um petralha". Significa que ela se recusa a qualquer argumento capaz de retirá-la de onde está, em sua zona de conforto. Além de ser um equívoco acadêmico e pessoal. Posso entender que é possível que argumentos "coxinhas" e "petralhas" tenham tanta verdade contra outros argumentos, e que então eu precise pensar e refletir.

Recebo um *post* dizendo que é fantasia que a ex-primeira-dama (Dona Marisa) doou seus órgãos, porque é impossível doá-los depois dos setenta anos. Basta pensar: ela tinha 66 anos, portanto, menos de setenta. Logo, já interrompo com a razão o ódio, um ódio deliberado, feito por alguém para impedir simpatia ao outro. Quando alguém diz que um político do PSDB tem fazendas e mais fazendas, quero saber quem diz, onde estão essas fazendas, qual o título de propriedade delas. Estarei assim buscando racionalidade para discutir o problema. Desse modo descobrirei que quase todos esses *posts,* tuítes e memes são fruto simplesmente de uma passionalidade sem base. E provavelmente impedem que você veja as verdadeiras provas e evidências de corrupção.

É um mistério que alguns governantes, com casos julgados, não tenham contra si o mesmo ódio destinado a outros acusados, mas sem comprovação ou julgamento.

Uma das minhas frases mais polêmicas e repetidas em 2016 diz que não existe país com governo corrupto e população honesta. Ou seja, uma sociedade corrupta não tem uma política honesta, assim como seu inverso também é verdadeiro.

Depois, em entrevista a uma revista, pude lembrar uma característica nossa e da humanidade: excluir da parte negativa da equação o pronome pessoal reto EU. Em nenhum momento quis dizer que todos nós, brasileiros, somos corruptos, mas que a corrupção é algo forte na política e que a política é uma das camadas constituidoras do todo social, como um mil-folhas.

Daí me perguntam se a política de origem corrupta é alimentada pelo voto dos grotões. De forma alguma, eu me refiro também aos grandes centros urbanos. A expressão *rouba mas faz* não nasceu no sertão, mas na maior e mais rica cidade do país. Não existe uma elite separada do todo. Um político ladrão deve ser preso e devolver o que roubou. A culpa é dele e só dele. Mas, se queremos um novo país, devemos discutir na base, na educação, na família, na fila do aeroporto e em todos os campos para uma sociedade mais ética.

Costumo receber e-mails em que me atacam: "Você é um petralha." "Você é um imbecil." "Você é um idiota." Gostaria de receber outras mensagens assim: "Você está equivocado, porque na Holanda, na Suécia, na Dinamarca e no Japão, as pessoas têm muito mais cuidado com a ética pública do que no Brasil. Governos desses países também enfrentaram problemas de corrupção, mas lá a corrupção é isolada, resolvida com afastamento e, em alguns casos, até com o suicídio do acusado."

Desconheço uma exceção de uma regra: em todas as sociedades em que há corrupção, os políticos e a política também são corruptos. Nessas sociedades corruptas, a corrupção sempre é marcada por atitudes que vão da propina na alfândega ao trânsito. Não quero dizer com isso que as corrupções se equivalem. Afundar uma empresa estatal do porte da Petrobras ou roubar a merenda escolar em São Paulo são atos muito mais graves do que andar no acostamento.

Se é verdade que é menos grave roubar no troco, comprar um recibo de dentista para o Imposto de Renda e assinar a lista escolar para garantir minha presença na faculdade do que roubar a merenda escolar das crianças, também é verdade que as duas formas de corrupção se explicam.

Não se trata de achar alguém de reputação ilibada, ou responder à busca de Diógenes, o filósofo que andava pelas ruas carregando uma lâmpada durante o dia, dizendo estar à procura de um homem honesto. É saber que a nossa tolerância com determinado tipo de corrupção no passado derivava do pensamento "ah, todos são assim". O aluno que vai para a avenida Paulista protestar contra um gesto que considera de corrupção e ao sair da faculdade pede que alguém assine a lista de presença para ele, esse aluno não vê a relação clara e direta que os dois fatos apresentam.

Mas volto a insistir: a corrupção sobre o bem público é a mais grave de todas, porque atinge mais gente. A corrupção sobre o bem individual ou particular atinge apenas a proprietária. Quem rouba alguém na rua prejudica uma pessoa. Quem rouba do orçamento da União prejudica 206 milhões de brasileiros.

Como disse na conversa sobre verdades e mentiras com meus colegas Luiz Felipe Pondé, Mario Sergio Cortella e Gilberto Dimenstein, seria bom acreditar que o sistema político é podre e a nação é ética. Isso nos tranquilizaria. Dito de forma menos populista: a política brasileira é o rosto da nação. O que fazemos de errado é uma adaptação. Já o que o governo faz de errado não é ético. O que existe no Brasil é a incompreensão de que a pirâmide ética começa na família e na escola e vai até a República. Ética e política começam nas pequenas coisas. É a *Microfísica do poder*, de Michel Foucault.

Um dos riscos é que esse ódio generalizado contra os políticos leva ao esvaziamento da política. A negação à política sempre esteve na raiz do fascismo, seja ele qual for. Está na raiz do Estado totalitário, seja de esquerda ou de direita. Quando começo a esvaziá-la, dizendo "eu quero empresários para governar" – ou militares, ou filósofos, como queria Platão – o risco é enorme. Aliás, quando Platão exerceu uma parte desse poder junto ao tirano em Siracusa, o desastre foi impressionante. O esvaziamento da política é um problema porque a solução para a política é a política.

Não acredito, portanto, em candidatos que encarnem a redenção nacional. Não acredito em messias, nem salvadores da pátria. Não acredito em seres impolutos. Não acredito porque o problema não é a ética da Presidência da República, ainda que ela tenha influência. Períodos em que o presidente da República foi notavelmente ético não melhoraram o comportamento da sociedade. É provável que alguns dos nossos presidentes da República tenham sido éticos. Reconheço essa possibilidade. Há presidentes que não terminaram seu governo com fortunas acumuladas, mas nem assim seus governos foram notavelmente éticos.

Ter um presidente ou uma presidente ético é um grande passo. O outro passo é uma transformação via educação, exemplo público, aumento do consenso e da coerção sobre a formação ética de todos nós: alunos, professores, pais e cidadãos. Essa formação ética tem o poder de transformar as pessoas em pessoas melhores que busquem, não pela bondade ética e religiosa, mas pela convivência em grupo.

É mais fácil eu viver em uma sociedade ética do que em uma sociedade não ética. É menos custoso você gerenciar um país em que não seja necessário gastar bilhões em segurança. Que não seja necessário vigiar todo mundo. Que não precise exigir um milhão de papéis. É mais barato e mais prático viver num mundo ético e menos violento.

Ou seja, a ética deve e pode ser para nós uma maneira de melhorar e tornar a vida mais reta e melhor. Então, o combate ao ódio não deve existir por causa de uma natureza boa ou má do ser humano, mas para tornar mais viável a existência em sociedade. E se a escola, as empresas, a imprensa, se a sociedade em geral lutar por uma vida mais ética, a Presidência da República, os governos em todos os níveis, o prefeito, os agentes legislativos, o Judiciário, todos estarão atrelados a uma mudança. Só não acredito em revolução ética que venha de cima. Não acredito que a existência de uma pessoa ética transforme um país, ainda que um exemplo público de desonestidade seja muito ruim para a ética nacional.

Duas soluções: coerção e consenso

Falei sobre o papel da educação e do conhecimento para a mudança das pessoas e para interromper o fluxo de ódio entre elas. É preciso aprofundar um pouco mais esse caminho.

Tendências de pensamento podem ser modificadas ou não ao longo do tempo. Há questões estruturais, com raízes antigas, que mudam lentamente. Mas um dos pressupostos da História é que nós mudamos. Há exemplos banais recentes. Quando eu era criança, nunca vi meu pai colocar um cinto de segurança ao entrar no carro. E meu pai era um homem legalista. Nunca vi minha mãe usar um cinto e eu passei toda a minha infância sem usar. Resultado: não posso dizer que tudo é sempre igual porque hoje, fruto de coerção e consenso, todas as pessoas acabam usando o cinto de segurança.

Quando eu era criança, os banhos podiam durar até seis horas, porque a água era infinita e abundante, um bem garantido por Pero Vaz de Caminha e pelo fato de que nunca havíamos passado pela experiência de uma escassez hídrica fora do sertão nordestino. Portanto, não havia essa preocupação para a maioria dos brasileiros. Quando eu era criança, não havia câncer de pele. Íamos para a praia às 8 horas da manhã e ficávamos expostos, usando inclusive bronzeadores, que aumentavam a exposição ao sol. Houve mudanças desde então: a consciência dos riscos para a segurança nos veículos, a consciência ecológica, a consciência dos riscos do sol para a pele. As pessoas e seus conhecimentos não são sempre iguais.

Para quebrar a cadeia do ódio, a primeira tarefa é parar de ensinar ódio às crianças. Ter cuidado extremo com aquilo que se fala, porque as crianças incorporam esse discurso, por causa da autoridade e do afeto. Interromper esse fluxo de ódio exige interromper a educação do ódio. Requer que professores e pais parem de expressar constantemente ódio, mas expressem no seu lugar críticas racionais capazes de serem debatidas. Afinal, o ódio não admite que o outro refute. O ódio é passional. Se você redarguir, aumento o meu entusiasmo em defesa ou parto para agressão. Então, para que interrompamos o fluxo de ódio, é preciso interromper o fluxo de ataque irracional.

Percepções diferentes sobre o mesmo problema mudam conforme o tempo. A distância no tempo ajuda a mudar a percepção sobre uma realidade. Vivemos há trinta anos numa democracia, daí um descrédito crescente com a política, os políticos e consequentemente a democracia, há quem olhe para o presente com saudade da ditadura militar – como se fôssemos mais virtuosos naquela época. É uma característica humana. Por exemplo, há quem sofra horrores na infância e depois, na vida adulta, lembre-se do período como a melhor época de sua existência.

Toda criança quer apenas crescer. Nenhuma criança acorda de manhã dizendo "que maravilha ser criança". Você só ama a infância no momento em que é adulto. Portanto, se dizemos que na ditadura havia menos assaltos, esse argumento valeria para dizer que, no período em que os tupis dominavam o litoral brasileiro, não havia assaltos. Mas não havia propriedade privada, logo não pode haver caso registrado de assalto de bens de uma tribo. Se quisermos ir a um extremo maior ainda, podemos dizer que antes da imigração dos povos sambaqui, ou dos tupis no litoral, não havia assalto, porque sequer havia pessoas.

Idealizar o passado é uma característica humana. O realismo está nas autoridades coloniais, que sempre diziam: "Depois de me virar, quem grande me fará?" Porque o que vem depois é pior. Lembrando que quem reclamava da ditadura encontrou a solução: veio José Sarney. Quem achava o Sarney um horror, a solução foi Fernando Collor de Mello. Então deve ter havido quem pensasse: "Até que o João Figueiredo não era tão terrível."

A construção do passado como local sem violência é curiosa. É um procedimento, um instrumento de defesa, porque temos uma relação com o presente jornalística, e nossa relação com o passado é histórica. Significa que no presente eu olho tudo dia a dia, e o passado eu olho em bloco. Vejo a ditadura apenas, e não o dia a dia daquela época. Diferentemente de hoje, quando vejo um escândalo atrás do outro. Isso foi dito no século XIX por Fustel de Coulanges ao analisar a nossa visão da Revolução Francesa: nós olhamos para o Antigo Regime como uma coisa só, três séculos como um bloco; e para a revolução, olhamos com acontecimentos diários.

O mundo em que vivemos no presente é sempre muito conturbado, cheio de ódio. Este é o mundo em que estou vivendo. É um mundo que me incomoda agora. De alguma forma eu insinuei isso ao falar que genocidas como Alexandre incomodam menos que genocidas contemporâneos. Ladrões atuais que incidem sobre mim são menos poéticos do que o Bandido da Luz Vermelha ou o assalto ao trem pagador. O assalto ao trem pagador torna o criminoso, Ronald Biggs, quase um herói, a viver tranquilo no Rio de Janeiro com o dinheiro do trem pagador.

Todos os criminosos do passado são tidos como alguém mais ou menos poético. Há uma certa aura de sedução em torno de Jack, o estripador, ou de qualquer *serial killer* cuja segurança esteja deslocada para o passado. Hoje, não. O ódio é também uma maneira de perceber o passado. É tamanho o ódio hoje que invento um período em que ele não existiu, ou que era fraco, ou menos expressivo.

A solução natural para o problema do ódio está no aumento de dois polos: o da coerção e do consenso. A coerção se consegue por meio de leis como a do crime de racismo, a punição para homofobia, a proibição de violência contra crianças, a Lei Maria da Penha. A segunda estratégia, a do consenso, é conseguida por meio da educação. Ela deveria ser superior, mas não necessariamente o é. Mesmo em cidades cosmopolitas, como São Paulo e Rio de Janeiro, matam-se gays, agridem-se mulheres, exibem-se atos explícitos de demonstração de ódio e violência.

É preciso que as pessoas entendam que a escola é um espaço de discussão. Que eu não devo vigiar ou censurar a escola, mas discutir tudo o que ela faz, a função do educador e o papel de ambos na formação de uma criança. O problema é que hoje a escola nem de longe é o principal abastecedor de informações de uma criança ou de um jovem. Ao chegar à escola ele já tem acesso, pela simples posse de um celular, a um mundo de informações muito maior. Portanto, só a construção do consenso por meio da formação não basta.

Para quebrar a cadeia do ódio, a primeira tarefa é parar de ensiná-lo às crianças. Interromper esse fluxo de ódio exige interromper a educação do ódio.

Coerção e consenso são complementares. É preciso ter leis contra o racismo, e ao mesmo tempo é necessário ter uma educação que combata o racismo. Havendo fracasso da coerção, é preciso aumentar o consenso. Não sou tão romântico a ponto de acreditar que bons livros vão acabar com o racismo. É preciso ter bons livros e prender, inafiançavelmente, quem é racista de verdade.

Precisamos ter bons filmes contra o racismo e a violência doméstica, porque a chance de retrocesso é grande. A Rússia aprovou uma lei que deixa as mulheres muito mais vulneráveis: se não houver danos permanentes, elas só poderão denunciar o marido após a segunda surra. Ou seja, é necessário haver, no período de um ano, mais de uma agressão ao mesmo membro de uma família para que isso seja considerado um crime. É um retrocesso brutal.

Temo que no mundo inteiro estejamos diminuindo a coerção porque está aumentando um consenso de violência. Esse é o meu medo. Não é esse o consenso que precisamos formar. Uma vez, um aluno meu de ascendência judaica deu a frase mais *Realpolitik* que já ouvi sobre o Oriente Médio. Ao contrário da paixão sionista ou de adeptos da Autoridade Palestina, ele não disse que um era um bando de criminosos e o outro, pacífico e representante do bem. Não. Ele disse de maneira diferente: "Os dois têm direito à terra; quem tiver as armas melhores vai fazer valer o seu direito." É de um *Realpolitik* assustador.

Temo que estejamos chegando a este ponto: "Ou teremos a violência contra negros, ou teremos contra brancos. Por isso temos que reforçar os direitos dos brancos para que os negros não reivindiquem esses direitos." Ou ainda: "As crianças apanham. Mas sou adulto, logo..." Mais: "É verdade que as mulheres apanham em casa. Mas eu sou homem, logo..." Essa omissão – que Bertolt Brecht denunciou tantas vezes – é problemática.

O risco é, portanto, estarmos aumentando o consenso da violência como eliminadora da divergência. Isso se revela quando, por exemplo, alguém defende que todos devem andar armados. Recebi uma vez uma foto assustadora de um grupo no Texas indo ao supermercado com fuzis e afirmando: "Lá, a greve da PM não incomoda." Voltamos a Thomas Hobbes: a espécie humana é a luta de todos contra todos. Se vencer essa ideia, estamos diante da vitória de um consenso pela violência.

Muita gente pode pensar que o ódio tem motivos históricos. Ou seja, que eu aprendi que tal grupo é perigoso. Os ciganos roubam crianças, os judeus são avarentos, os índios são preguiçosos. A raiva, o preconceito por motivos históricos, não são reais, mas são históricos. O ódio tem motivos psicológicos, psicanalíticos, que nós tratamos tantas vezes neste livro. O ódio também tem motivos de instrumentação política. Eu preciso do ódio de um grupo para construir um projeto. O ódio integra mais do que qualquer outra coisa. O ódio mostra minhas fraquezas. E não é possível viver sem ódio.

A violência e o mal podem ser descritos como fruto da queda do homem e da ação malévola do demônio. Na primeira família humana, a mais próxima de Deus e com contato direto com o Criador, existiam quatro pessoas: dois desobedientes (Adão e Eva) e um assassino (Caim). Setenta e cinco por cento dos membros da nossa matriz familiar cometeram infrações graves. Começamos mal. Apesar de os textos sagrados conterem, tradicionalmente, páginas violentas e até incitação ao ódio, o esforço de muitas religiões é na direção de controlar a natureza "degenerada" da nossa espécie. Mas, numa lógica de pensarmos o mundo a contrapelo, como sugeria Walter Benjamin, se precisamos conter a violência é porque, sem a mordaça, a tendência da boca é gritar e morder.

O ódio é um sintoma fabuloso para falar dos meus recalques, das minhas dores, meus medos e anseios. Ele é um dos espelhos mais poderosos para eu olhar meu próprio rosto. O que me perturba e faz odiar tem ali um segredo fundamental que preciso descobrir. O que me agride distrai de mim mesmo. O que me perturba me aproxima de mim mesmo.

O ódio, além de ser um elemento de conhecimento, convida que eu transforme aquele grão de areia em pérola. Que eu transforme aquilo que me incomoda num ponto de crescimento. E aí o ódio tem uma função boa: ele revela minha fraqueza. E, se eu desejo melhorar, a primeira missão é encarar a medusa. Se não, o ódio vai me dominar.

Agradecimentos

Deixo registrada minha gratidão à editora LeYa e a Rodrigo de Almeida, idealizador da entrevista. Agradeço, em particular, ao prof. dr. Luiz Estevam de Oliveira Fernandes, que sempre oferece sua luz para aprimorar minhas ideias e retificar meus caminhos de escrita.

Obrigado a todos,

Leandro Karnal.

1ª edição	Maio de 2017
Papel de miolo	Pólen Soft 70g/m²
Papel de capa	Cartão Supremo 250g/m²
Tipografia	Minion Pro
Gráfica	Grafilar